LULA É MINHA ANTA

DIOGO MAINARDI

LULA É MINHA ANTA

2ª EDIÇÃO

EDITORA RECORD
RIO DE JANEIRO • SÃO PAULO

2007

Cip-Brasil. Catalogação-na-fonte
Sindicato Nacional dos Editores de Livros, RJ.

M191l Mainardi, Diogo, 1962-
2ª ed. Lula é minha anta / Diogo Mainardi. – 2ª ed. –
Rio de Janeiro : Record, 2007.
Continuação de: A tapas e pontapés.
Crônicas publicadas na revista VEJA, no período
de 2005 a 2007.

ISBN 978-85-01-08070-7

1. Crônica brasileira. I. Título.

07-3359 CDD 869.98
CDU 821.134.3(81)-8

Capa: Victor Burton
Foto do autor: Oscar Cabral

EDITORA RECORD LTDA.
Rua Argentina 171 – Rio de Janeiro, RJ – 20921-380 – Tel.: 2585-2000

Impresso no Brasil

ISBN 978-85-01-08070-7

PEDIDOS PELO REEMBOLSO POSTAL
Caixa Postal 23.052
Rio de Janeiro, RJ – 20922-970

SUMÁRIO

2005

2006

2007

Todos os textos aqui reunidos foram publicados em Veja. *Cobrem o período de 2005 a 2007.*

Caso alguém se interesse, o que veio antes disso está em A tapas e pontapés.

Agradecimentos especiais a
Julia Mainardi e Mario Sabino.

2005

ADEUS, LULA

Enjoei de Lula. Esta é a última vez na vida em que mencionarei seu nome. Achincalhá-lo foi uma farra por esse tempo todo. Agora a farra acabou. Peguei bode. Não quero mais falar sobre ele. Estou farto. Fico com perebas na pele só de ver sua cara ou de ouvir sua voz. Somatizei Lula. De hoje em diante, ele morreu.

Desde que Lula chegou ao poder, dediquei cerca de 5 mil horas a ele. É mais do que dediquei a Flaubert. É mais do que dediquei a Tolstói. Li tudo o que ele falou. Sua obra completa. Fui de comício em comício, de palanque em palanque, recolhendo e analisando no microscópio cada despropositado perdigoto expelido por sua boca. Minha coluna se transformou numa espécie de bestiário lulista, em que colecionei todas as suas monstruosidades. Amolá-lo virou meu dever. Virou meu bordão. Virou meu ponto-de-venda. Semanalmente, eu era desafiado a inventar novas variações para a mesma piada. A idéia era usar qualquer artifício para ridicularizá-lo. Comparei-o a um escravo vestido de rei do Congo. Aconselhei-o a parar de beber em público. Acusei-o de defender o regime do *apartheid*. Demonstrei que ele dá azar. Pedi-lhe entrevistas que não foram concedidas. Amaldiçoei-o dizendo que ninguém se lembraria dele daqui a dez anos.

Não sinto animosidade por Lula. Pelo contrário. Sou-lhe grato. Só tenho boas recordações do período. Acompanhei seu governo como se acompanha um filme vagabundo. Lula foi meu *Plano 9 do Espaço Sideral* particular. Filme vagabundo é para ser visto em companhia de amigos, assobiando, vaiando e avacalhando rumorosamente. Foi o que tentei fazer aqui na coluna, em companhia dos leitores. Filme vagabundo é assim: quanto pior, melhor. O divertimento está justamente na implausibilidade do roteiro, na incapacidade técnica, na precariedade de recursos, na ruindade dos atores. Lula conseguiu reunir tudo isso, como nos grandes clássicos do filme B. Quando meu fetichismo cinematográfico se esgotou, o divertimento também se esgotou. Tornou-se tédio. Chegou a hora de mudar.

Adeus, Lula.

Em 18 de maio, dois meses depois que me despedi publicamente de Lula, *Veja* denunciou o recebimento de propina por parte de Maurício Marinho, diretor dos Correios ligado ao PTB. Em 6 de junho, Roberto Jefferson revelou o esquema do mensalão à *Folha de S. Paulo*. Se eu estava com bode de Lula, o bode passou na hora. Se eu ficava com perebas na pele só de ver sua cara, as perebas sumiram na hora.

A crise teve um efeito catártico sobre mim.

O ORÁCULO DE IPANEMA

Eu disse que Lula não ia dar certo.

A partir de agora me tratem como o oráculo de Ipanema. Ponham oferendas na entrada do meu prédio. No momento, estou ocupado com o parto do meu segundo filho. Não tenho tempo para me ocupar de Lula. O futuro, porém, é muito claro:

- Lula não chega ao fim do mandato. Ele terá de renunciar.
- Quando Lula renunciar, José Alencar será impedido de assumir o cargo. Ele é do PL. O PL foi acusado de receber propina do tesoureiro do PT, Delúbio Soares.
- Severino Cavalcanti tem o mesmo problema. Ele é do PP. O PP também foi acusado de receber propina de Delúbio Soares.
- Renan Calheiros, o quarto na linha sucessória, tomará posse como presidente da República.

O nome de Renan Calheiros até hoje é associado ao de Collor. Ainda que por tabela, através de seu antigo seguidor, Collor poderá, afinal, completar seu mandato. Não é tão grave quanto parece. A imprensa lulista garante que a roubalheira do atual governo é bem menor que a do tempo de Collor. Eu não teria tanta certeza. O próprio Collor, em agosto do ano passado, em entrevista à *Folha de S. Paulo,* no restaurante Piantella, afirmou que "o Delúbio é muito mais abrangente" do que o PC Farias. Collor foi mais longe. Ele previu direitinho que, por causa de Delúbio Soares, Lula perderia o mandato, exatamente como aconteceu com ele, em 1992. Se eu sou o oráculo de Ipanema, Collor é o oráculo de Maceió.

O Piantella sempre foi um dos restaurantes preferidos de Delúbio Soares. Seu dono é Antonio Carlos de Almeida Castro, o Kakay, amigo de José Dirceu e advogado de defesa do ministro Romero Jucá, na picaretagem da Frangonorte. Pouco tempo atrás, o prefeito do Rio de Janeiro, Cesar Maia, relatou que o homem da mala do governo Lula distribuía pacotes de dinheiro aos parlamentares dos partidos aliados durante almoços realizados em restaurantes de Brasília. De acordo com Cesar Maia, a distribuição dos pacotes de dinheiro era feita abertamente, sem o menor sigilo. Só faltou dizer se o Piantella era um dos locais em que isso ocorria. Outro restaurante muito freqüentado por Delúbio Soares era o Porcão, que contribuiu para a campanha de arrecadação de fundos do PT, organizando o espetáculo da dupla caipira Zezé Di Camargo e Luciano, com verba do Banco do Brasil.

Recentemente, Fernando Henrique Cardoso denunciou a "sertanização" da política brasileira. Depois negou ter usado o termo. Toda vez que Fernando Henrique diz algo aproveitável, ele volta atrás. A sertanização da política não é somente metafórica — é literal. O governo Lula tem 45% de aprovação no Nordeste; no Sul e no Sudeste, a taxa cai para 30%. Não é improvável que boa parte desses 30% seja de migrantes nordestinos. O Brasil nunca teve uma cultura democrática. Os políticos que governaram do fim da ditadura militar em diante só aplicaram em escala nacional o que a tradição sertaneja produziu de pior: a compra de voto, o empreguismo, a corrupção.

Os políticos sertanizados não vão parar de roubar. Só podemos exigir que eles aprendam a roubar escondido.

Severino Cavalcanti renunciou ao mandato depois que *Veja* revelou o pagamento de propina por parte do dono de um restaurante da Câmara dos Deputados. Renan Calheiros foi acusado por *Veja* de ter suas despesas pagas por um lobista da empreiteira Mendes Júnior. Fernando Collor de Mello foi eleito para o Senado e se aliou a Lula.

Os políticos sertanizados não aprenderam a roubar escondido.

EU SABIA

Está a maior farra aqui em casa. Chegou a hora de tripudiar. De contar vantagem. De esfregar na cara. De soltar rojão. De me cobrir de glória. O depoimento de Roberto Jefferson na Comissão de Ética foi melhor do que Copa do Mundo. Foi meu hexacampeonato particular.

Lula reagiu ao ataque de Roberto Jefferson afirmando que não aceitaria "vender a alma pela reeleição". Foi mais uma tentativa de engabelar o eleitorado. Seu governo nunca se vendeu aos parlamentares. Pelo contrário: comprou-os.

Agora a reeleição morreu. Em outubro de 2004, numa coluna intitulada "O partido do topa-tudo", apostei que Lula não seria reeleito, com o argumento de que "os eleitores estão nauseados com o PT. Ele será sempre identificado como o partido que compra o apoio de outros partidos com malas cheias de dinheiro. Que recebe doações de empresários acusados de corrupção. Que se alia desavergonhadamente a políticos que sempre combateu. Que dá carta branca a seu tesoureiro em reuniões ministeriais. Que protege os amigos do presidente".

Eu não sou jornalista. Não tenho fonte no Congresso Nacional. Não conheço Roberto Jefferson. Não grampeio o telefone de José Dirceu. Só reuni a informação que estava escancarada na imprensa. Roberto Jefferson diz que todo mundo sabia do esquema de propina do PT. Ele tem razão. Eu sabia. O leitor sabia. Todo mundo sabia. Antes de Roberto Jefferson, um ilustre deputado já tinha dito que "Waldomiro Diniz era um dos caixas do José Dirceu". E um nobre senador já tinha chamado Marcelo Sereno de "PC Farias do PT". Claro que, cedo ou tarde, o esquema seria revelado.

O plano para a reeleição de Lula sempre foi muito suspeito. Quando ele nomeou seu guarda-costas, Mauro Marcelo de Lima, para a diretoria da Abin, eu comentei: "Mauro Marcelo admitiu estar na torcida por um bis de Lula. O serviço de informação dos Estados Unidos, no passado, torceu pela reeleição de um presidente. O resultado foi Watergate". Quando Lula indicou o arrecadador de fundos de sua campanha eleitoral, Henrique Pizzolato, para a diretoria de *marketing* do Banco do Brasil, eu também estranhei. Acusei Pizzolato de usar a verba de propaganda do Banco do Brasil para patrocinar a reeleição de Lula, através da TV CUT, da torcida do time de voleibol nas Olimpíadas e do curta-metragem ufanista de Jorge Furtado. Roberto Jefferson disse que a Abin e as agências de propaganda do Banco do Brasil estão envolvidas com o esquema de corrupção do PT. Sugiro que Mauro Marcelo e Pizzolato sejam ouvidos pela CPI.

Lula temia se transformar num Lech Walesa. Se a acusação de Roberto Jefferson for comprovada, é o que irá acontecer. Roberto Jefferson garantiu que Lula não sabia o que os petistas faziam por baixo do pano. Eu sabia. O leitor sabia. Todo mundo sabia. O único que não sabia era seu maior beneficiário: Lula.

Henrique Pizzolato me processou pelo artigo. Perdeu.

SAI, LULA, SAI

Lula acabou. Lula morreu. Um a menos.

Se ninguém tem uma idéia melhor, proponho a realização de eleições antecipadas. Era o que defendia o atual ministro da Educação, Tarso Genro, no governo anterior:

> Após frustrar irremediavelmente a generosa expectativa da nação, resta a Fernando Henrique reconhecer o estado de ingovernabilidade do país e propor ao Congresso uma emenda constitucional convocando eleições presidenciais para outubro. (...) Se o presidente tivesse dignidade, deveria renunciar. Seria uma saída democrática para a crise, em face da falta de legitimidade de um mandato construído por estelionato eleitoral.

Tarso Genro, na época, foi acusado de golpismo. Não entendo a razão. Democracias bem mais avançadas do que a nossa — como a boliviana, por exemplo — admitem a antecipação eleitoral. Sugiro que Tarso Genro retome a idéia, levando-a imediatamente ao presidente. Lula deve renunciar. Mas só depois de pedir perdão na televisão, com lágrimas no rosto. Petistas sempre choram quando são apanhados em flagrante. Ver um petista chorando é uma diversão. Ver um petista explicando sua movimentação bancária é uma diversão ainda maior. A renúncia de Lula tem de ser acompanhada por uma proposta de emenda constitucional que garanta a realização de eleições o quanto antes. Como diria Tarso Genro, é a única saída minimamente digna para o presidente.

A proposta só tem um problema: Lula não pode renunciar sozinho. Se o governo corrompeu boa parte do Congresso Nacional com o pagamento de propina, deputados e senadores devem ser punidos junto com ele. A gente ainda não sabe quantos parlamentares entraram na roubalheira. Roberto Jefferson calculou entre oitenta e cem. Tanto faz. É o bastante para pedir a interrupção da legislatura. Além de aprovar a emenda constitucional que antecipa as eleições presidenciais, o Poder Legislativo deve aprovar também a dissolução do Congresso e a realização de eleições gerais em outubro. A taxa de renovação parlamentar será alta. Muitos ladrões deixarão de ser eleitos. Novos ladrões ocuparão seus lugares. O próximo Congresso não será melhor do que o atual. Com uma certa dose de revanchismo, porém, poderá fazer uma CPI do Mensalão um pouco menos comprometida. Falta revanchismo à democracia brasileira.

Outra vantagem de dissolver o Congresso agora é impedir uma reforma política. Os atuais deputados e senadores perderam a confiança dos eleitores. Estão desautorizados a legislar sobre matérias relevantes, principalmente as que lhes dizem respeito, como a reforma política. Se eles aprovarem o financiamento público aos partidos, serão perseguidos nas ruas. Minha proposta — eu tenho uma proposta para tudo — é que o novo Parlamento, assim que tomar posse, nomeie uma comissão de figuras eminentes da sociedade. Ela seria encarregada de fazer uma profunda revisão da Constituição, enxugando o Executivo e o Legislativo. Os ladrões continuariam a roubar. Só que teríamos menos ladrões.

Sai, Lula, sai. Sai rápido daí.

A imprensa revelou o caso da Gamecorp, a empresa do filho de Lula comprada pela Telemar. Como a Telemar reunia interesses de lulistas e oposicionistas, o escândalo foi acobertado com o argumento de que era necessário salvaguardar a família do presidente. Meu empenho foi tentar melar esse acordo.

LULA DESCONHECE O QUE É CERTO E ERRADO

"Eu acredito no presidente Lula." É o nome de uma comunidade no Orkut. Luís Cláudio, um dos filhos de Lula, é membro dessa comunidade. Ele é membro também da comunidade "Sou orelhudo porém feliz". Lula tem cinco filhos. Luís Cláudio é o caçula. Não foi Luís Cláudio quem abocanhou 625 mil reais da Telemar. Não. Foi outro filho de Lula, chamado Fábio Luís. Luís Cláudio é recordado apenas por ter viajado com um bando de amigos ao Palácio da Alvorada, com tudo pago, num avião da FAB. Não surpreende que a namorada de Luís Cláudio, Talita, pertença à comunidade "Eu amo viajar com meu namorado". Luís Cláudio deve ter feito alguma bobagem recentemente. Talita deixou o seguinte recado no caderno de anotações dele no Orkut: "Oh, num eh q ti dexando isso aki que dize q eu eskeci o q vc fez viu... to brava ainda!!"

Marcos Cláudio é o filho mais velho de Lula. No Orkut, ele participa da comunidade "Viva Lula". Além disso, é o fundador da comunidade dos "adoradores do Shopping Metrópole de São Bernardo do Campo". Marcos Cláudio era do departamento de *marketing* do Sindicato dos Metalúrgicos. Sua mulher, Carla Ariane, que pertence à comunidade orkutiana "Orgulho de ser PT", tinha um cargo comissionado na prefeitura petista de Mauá, que está sendo acusada de desvio de dinheiro. Foi justamente pelo departamento de *marketing* das estatais e pelos cargos comissionados na administração pública que passou grande parte da roubalheira petista. O casal Marcos Cláudio e Carla Ariane representa uma espécie de síntese do petismo.

Outro filho de Lula, Sandro Luís, recebia um salário de 1.522 reais do PT para não comparecer ao emprego. É aproximadamente o mesmo salário que Delúbio Soares recebia para não comparecer ao emprego como professor em Goiás. Sandro Luís usa nomes de fantasia no Orkut. Seu irmão Fábio Luís, o da Telemar, também prefere o anonimato. Sua empresa, através de um funcionário, acaba de abrir uma comunidade no Orkut: a "GameTv". Poucos dias depois, a "GameTv" já podia contar com 97 membros. Estavam todos lá: Luís Cláudio, Talita, Marcos Cláudio, Carla Ariane. O tema predominante da comunidade era o grupo de rock Iron Maiden. Não havia um único comentário sobre o caso de favorecimento político à empresa de Fábio Luís. Lula declarou que não se mete nos negócios do filho. Ele teria a obrigação de se meter, já que os negócios do filho envolvem dinheiro público. Primeiro: Lula deveria mandar desfazer a sociedade entre Fábio Luís e a Telemar. Segundo: Jacó Bittar deveria ser afastado do cargo de conselheiro da Petros. Jacó Bittar é pai de dois sócios de Fábio Luís. A Petros é sócia da Telemar. Na prática, Jacó Bittar comprou com dinheiro público a empresa dos filhos — e do filho do presidente.

Lula qualificou as reportagens sobre seus filhos como um "golpe baixo", uma "baixaria". Muita gente ainda se pergunta se Lula sabia ou não da corrupção no governo. Na verdade, a questão é mais grave: Lula simplesmente desconhece o que é certo e errado. Eu não acredito no presidente Lula.

Fernando Henrique Cardoso, em conversas reservadas, e Jorge Bornhausen, em público, passaram a defender a idéia de "*impeachment* pelo voto". Na prática, a oposição concordou em tutelar Lula até o fim do mandato, com a certeza de sucedê-lo nas eleições de 2006. Alertei que o *impeachment* pelo voto implicava também a possibilidade de absolvição pelo voto.

QUERO DERRUBAR LULA

Eu quero derrubar Lula. Muita gente teme o que pode vir depois dele. Nos últimos dias, o presidente do Supremo Tribunal Federal, Nelson Jobim, se encontrou com políticos de todos os partidos. Ele teme que o *impeachment* de Lula acabe gerando um longo período de conflito social, porque a popularidade do presidente continua alta. Se um presidente conta com o apoio popular, segundo Jobim, ele está autorizado até mesmo a corromper os membros do Congresso Nacional. Não é exatamente o tipo de consideração plebiscitária que poderíamos esperar da maior autoridade judicial do país.

Muita gente teme também um golpe militar. É um temor alimentado pelo PT. O PT alardeia que um *impeachment* de Lula pode resultar num golpe de Estado. É mais uma empulhação petista. Em 1993, quando a eleição de Lula era tida como certa, José Dirceu e José Genoino procuraram o general linha-dura Murillo Tavares da Silva. Na época, o general Murillo garantiu que, se Lula fosse eleito, não ocorreria um golpe militar. Nesta semana, ele voltou ao tema, num artigo para o *site* Ternuma, que reúne alguns nostálgicos da Revolução de 1964. No artigo, o general Murillo afirma que Lula é um "inepto", um "néscio", um "apedeuta", "pródigo em dizer bobagens". Afirma igualmente que Lula é "de uma covardia ímpar", tendo descarregado sobre seus subalternos toda a responsabilidade pela corrupção no governo, cujo maior beneficiário sempre foi ele próprio. Com um certo desalento, porém, o general Murillo é obrigado a repetir aquilo que, em 1993, disse a José Dirceu e José Genoino: não há o menor risco de que o *impeachment* de Lula desencadeie um golpe militar, porque o único desejo de nossos "temerários legionários", hoje em dia, é conseguir "algumas migalhas dos línguas-presas".

O grande temor da oposição, em caso de *impeachment* de Lula, é José Alencar. Aparentemente, a oposição teme que, em seu curto mandato como presidente, José Alencar reduza os juros, impulsione a economia, crie 10 milhões de empregos, abaixe os impostos e, ainda por cima, mantenha a inflação sob controle, tornando-se um candidato imbatível em 2006. Na verdade, José Alencar não é um candidato imbatível nem mesmo para vereador em Montes Claros. O grande temor da oposição é outro: o de que ela só seja capaz de ganhar a próxima eleição se concorrer sozinha.

Até agora nenhum parlamentar defendeu abertamente o *impeachment* de Lula. Alguns chegaram perto: "Não se pode descartar o *impeachment*", "As pessoas já perguntam se o *impeachment* não seria a melhor solução para a crise", "É delírio ou uma possibilidade falar em *impeachment*?", "Não estou pedindo o *impeachment*, mas, se a legalidade exigir, ele deve sair". Todo mundo sabe que a melhor receita para o país é uma ampla reforma política. Lula é o maior obstáculo para que ela aconteça. Se ele for derrubado, tem reforma. Se não for, não tem.

Lula, como sempre, é um fator de imobilismo e atraso. Seus partidários chantageiam o eleitorado com a ameaça de que sua queda trará a "colombianização" ou a "venezuelização" da sociedade. Mentira. Não há o que temer. Pior do que está não pode ficar.

Contrariado com a estratégia oposicionista de proteger Lula, aventurei-me numa espécie de pantomima de jornalismo investigativo, em busca de fatos que tornassem inelutável um pedido de *impeachment*.

CONFIE EM MIM

Telefonei para o senador Eduardo Suplicy. Ele foi um dos primeiros a pedir o *impeachment* de Collor.

EU: Não chegou a hora de pedir o *impeachment* de Lula?

SUPLICY: Acredito que não.

EU: A gente já sabe que o governo Lula, por meio de José Dirceu, deu dinheiro porco a parlamentares, em troca de apoio político. Não é um atentado contra o Poder Legislativo? Não é matéria para um *impeachment*?

SUPLICY: José Dirceu, na Comissão de Ética, afirmou reiteradas vezes não ter sido o responsável pelo pagamento a parlamentares.

EU: O senhor acredita nele? Alguém acredita nele?

SUPLICY: Dou-lhe o benefício da dúvida.

Telefonei para o deputado José Janene. Ele é um dos líderes do PP. Seu chefe-de-gabinete, João Cláudio Carvalho Genu, recebeu um dinheirão de Marcos Valério. Quando aderiu ao governo Lula, o PP tinha 43 deputados. Agora tem 55. Em 1º de junho de 2003, o presidente do PP, Pedro Corrêa, explicou à *Folha de S. Paulo* que a cooptação de parlamentares era negociada diretamente com José Dirceu: "Ele recebe a mim e ao deputado que está vindo ao partido. Também ajudam o Pedro Henry e o José Janene."

EU: O senhor nega que o PP tenha recebido propina do governo Lula. Diz que o dinheiro de Marcos Valério foi empregado apenas para pagar dívidas de campanha eleitoral. O pagamento de dívidas de campanha eleitoral fazia parte das negociações entre o PP, os deputados cooptados pelo partido e o ministro José Dirceu em meados de 2003?

JANENE: Eu só posso falar sobre o assunto em *off*.

EU: Confie em mim.

JANENE: Em primeiro lugar, meu chefe-de-gabinete, Genu, não recebeu tudo isso que estão dizendo. Foram 600 mil reais.

EU: O pagamento desses 600 mil reais foi negociado com José Dirceu?

JANENE: Serei extremamente didático: sim. Foi negociado entre o presidente do partido, Pedro Corrêa, o líder do partido, Pedro Henry, e o ministro da Casa Civil, José Dirceu. Na época, eu só tratava com Marcelo Sereno.

EU: Foi o próprio José Dirceu quem encaminhou o PP a Delúbio Soares?

JANENE: Claro. Foi ele.

EU: Espero que o PP esclareça esses fatos em breve.

JANENE: É o que pretendemos fazer.

EU: Tem certeza de que não posso publicar nada disso?

JANENE: Por enquanto, não. Pode colocar a informação numa matéria, mas sem me citar.

EU: Confie em mim.

CHEGA DE ÉTICA, NASSIF

Sou um conspirador. Um conspirador da elite. Quero derrubar Lula. Só não quero ter muito trabalho. Quero derrubar Lula sem sair de casa. Quase deu certo na semana passada. Telefonei para o deputado José Janene. Ele reconheceu que José Dirceu comandou o esquema de compra de deputados por parte do governo. Foi a primeira vez que um dos envolvidos nas denúncias do mensalão acusou o Palácio do Planalto de distribuir dinheiro sujo a parlamentares. Janene pediu que eu publicasse a notícia em *off*, sem citá-lo. Não aceitei. Não sou padre, que ouve confissão calado. Dedurei Janene. O *Jornal Nacional* procurou-o na segunda-feira, para confirmar o conteúdo da entrevista. Janene preferiu não se manifestar. Como não gravei nossa conversa, o assunto morreu. O maior sucesso de minha atividade como conspirador falhou miseravelmente. Decidi começar a gravar meus telefonemas. Virei o Juruna da imprensa. Gravo tudo no aparelho de karaokê de meu filho. Quero derrubar Lula, mas só vale se for desse jeito: sem sair de casa e com o karaokê da Chicco. Derrubar Lula de qualquer outra maneira seria conferir-lhe um crédito exagerado.

O deputado Janene reprovou minha atitude. Disse que quebrei o código de ética do jornalismo. Outra autoridade em matéria de ética, que se sentiu no direito de me passar um pito, foi Luis Nassif, colunista de economia da *Folha de S. Paulo*. Ele escreveu: "Para combater a falta de escrúpulos do governo, agora, chega-se a atropelar até valores sagrados da imprensa, como o instituto do *off the record*. Em uma coluna, em revista de larga circulação, o autor se vangloria de ter passado a perna em um deputado, prometendo-lhe manter uma declaração em *off* e não cumprindo a promessa." Isso foi publicado na última quinta-feira. Na quinta-feira da semana anterior, Nassif deu um perfeito exemplo de ética jornalística. Num artigo sobre Daniel Dantas, ele reproduziu palavra por palavra, sem citar o autor, uma mensagem enviada a diversos jornalistas por Luiz Roberto Demarco. Demarco não é o que se poderia definir como uma fonte isenta. Pelo contrário: ele está processando Dantas na Justiça, numa ação bilionária. Como se pode notar, Nassif é um jornalista ético, que sabe preservar suas fontes. Ele é tão cioso de sua responsabilidade que decidiu copiar até mesmo os erros de grafia da mensagem original de Demarco, como o nome do presidente da Portugal Telecom no Brasil, Shakhaf Wine, chamado por ambos de Shakaf Wine.

Além da coluna na *Folha de S. Paulo,* Nassif tem também um *site* de notícias, que foi financiado com empréstimos do BNDES. Um dos patrocinadores do *site* é o próprio BNDES, coincidentemente o maior acionista da Telemar, concorrente direta de Dantas. Não surpreende que um paladino da ética como Nassif tenha defendido a compra, por parte da Telemar, da produtora de fundo de quintal do filho de Lula, Fábio Luís. Outro importante patrocinador do *site* de Nassif é a Odebrecht, cujo fundador mereceu um panegírico apaixonado numa coluna recente. Nassif me deu uma lição de ética. Janene me deu uma lição de ética. Lula afirmou que não existe ninguém mais ético do que ele. Eu não aceito lição dessa gente. O Brasil tem *off* demais. Tudo o que se faz aqui é em *off*. Esta não é a hora do *off*. É a hora de abrir o jogo, de contar tudo, de falar a verdade.

Naquela época, eu já tinha sido informado de que a batalha legal de Luiz Roberto Demarco contra Daniel Dantas era financiada pela Telecom Italia, mas as provas dos pagamentos só surgiriam mais tarde, durante uma investigação criminal na Itália. Demarco também era pago pela Telecom Italia por sua influência junto a jornalistas e fundos de pensão estatais. A *Folha de S. Paulo* acabou se livrando de Luis Nassif.

Depois de falar com meus informantes na Telecom Italia, reli tudo o que havia sido publicado sobre as disputas societárias no setor telefônico.

RESUMO DA ÓPERA

Estou tentando encaixar os fatos. Pelo que li até agora, parece-me que houve o seguinte:

Daniel Dantas foi achacado pelo PT.

O achaque começou em 2002. Em maio daquele ano, João Paulo Cunha pediu uma CPI para investigar a privatização da Telebrás. Diante da ameaça de sofrer uma perseguição num futuro governo Lula, por causa de sua ligação com o governo FHC, Dantas encarregou seu operador Marcos Valério de buscar um canal de negociação com o PT. Em meados de 2002, Marcos Valério se aproximou de Delúbio Soares, que exigiu propina para financiar a campanha eleitoral e domesticar o partido.

Quando Lula foi eleito, o deputado Júlio Delgado recolheu 189 assinaturas para instalar uma CPI sobre a privatização da Telebrás. João Paulo Cunha afundou-a imediatamente, obedecendo à orientação de José Dirceu. De acordo com a agenda da secretária Fernanda Karina Somaggio, poucos dias depois, em julho de 2003, Marcos Valério e Delúbio Soares se reuniram com Carlos Rodenburg, sócio de Dantas no Opportunity. Delúbio Soares cobrou ainda mais dinheiro de Dantas, porque o Palácio do Planalto queria financiar a compra de parlamentares de outros partidos, com o chamado "mensalão".

Tudo correu direitinho até julho de 2004, quando Dantas foi acusado de contratar a empresa de espionagem Kroll para investigar seus adversários. Um dos alvos de Dantas era Luiz Gushiken, que mantinha uma disputa com José Dirceu pelo controle do PT. Gushiken retaliou por meio de seus subordinados nos fundos de pensão estatais, que fizeram um acordo secreto com o Citibank para afastar Dantas do comando da Brasil Telecom. Pelo acordo, sacramentado em janeiro de 2005, os fundos de pensão comprariam a participação do Citibank na Brasil Telecom por 1 bilhão de reais, o dobro do valor de mercado. A operação foi negociada pela Angra Partners, gestora dos fundos de pensão e formada por ex-funcionários do próprio Citibank. O que se comenta no mercado é que o superfaturamento da Brasil Telecom incluiria uma cota destinada ao PT, que permitiria desviar dinheiro dos fundos de pensão e substituir Dantas como maior financiador do caixa dois do partido.

Em fevereiro de 2005, o Citibank cumpriu sua parte do acordo e destituiu Dantas da gestão do fundo CVC, com o qual ele controlava a Brasil Telecom. Exatamente no mesmo período, segundo Roberto Jefferson, começaram a minguar os recursos do "mensalão". A explicação é simples: Dantas, passado para trás pelo governo, interrompeu o pagamento de propina aos parlamentares. O resultado foi a perda de controle do Congresso e a conseqüente eleição de Severino Cavalcanti.

Roberto Jefferson procurou Lula e ameaçou denunciar o esquema de corrupção do governo. Para intimidá-lo, José Dirceu colocou a Abin em seu encalço. Começou também a procurar outras fontes de financiamento para o PT. A mais promissora previa a reestatização da Brasil Telecom e da Telemar, com o dinheiro dos fundos de pensão, operação bilionária que renderia uma boa comissão ao PT. José Dirceu já tinha sobre a mesa um projeto de lei que permitiria a fusão das duas empresas. Quando explodiu o caso de corrupção nos Correios, Roberto Jefferson, em vez de tentar uma composição, partiu para o ataque e melou o jogo do governo, revelando o esquema de que havia sido beneficiário.

RESUMO DA ÓPERA 2

Eu sou o arqueólogo do "mensalão". O Indiana Jones do PT. O Heinrich Schliemann do Palácio do Planalto. Tenho dedicado todo o meu tempo à extenuante tarefa de escavar a necrópole petista, em busca de sarcófagos que me permitam reconstruir a história daquele povo iletrado e primitivo, felizmente extinto.

Na coluna da semana passada, afirmei que o dinheiro do mensalão foi extorquido de Daniel Dantas, dono do banco Opportunity. Alguns dias depois, por intermédio de sua assessora, Roberto Jefferson confirmou minha teoria.

Até 2002, Marcos Valério era um operador local de Dantas, encarregado do abastecimento do bando mineiro do PSDB. Quando Lula foi eleito, Marcos Valério se aproximou de Delúbio Soares e passou a canalizar toda a propina que Dantas era obrigado a pagar ao governo federal, representado pelo bando de José Dirceu.

Se Marcos Valério era o operador de Dantas, não adianta procurar em suas contas o dinheiro da Novadata, ou da GDK, ou da Leão & Leão, ou de Santo André, ou das empresas de lixo, ou dos bicheiros, ou das empreiteiras, ou da Gtech, ou dos sindicatos, ou dos fundos de pensão, ou das Farc, ou da Líbia. A roubalheira petista é infinitamente maior do que aquilo que apareceu até agora. Recomendo procurar o cofre em outro lugar. Recomendo também, aos arqueólogos diletantes como eu, a releitura de tudo o que a imprensa publicou nos últimos dois anos e meio. Os altos e baixos de Lula correspondem perfeitamente aos altos e baixos de Dantas. A história do governo Lula é um mero reflexo da disputa comercial entre as operadoras de telefone.

Como o policial que achaca o traficante, garantindo-lhe proteção para tocar seus negócios, no começo de 2003 o Palácio do Planalto achacou Dantas, exigindo dele o dinheiro do mensalão. Formaram-se duas facções. Numa delas, ficaram Dantas, Dirceu, Delúbio, Delfim, João Paulo, Ciro, Mentor, Kakay e todos os mensaleiros do PP, do PL, do PTB. Na outra facção, ficaram Gushiken, Telemar, Previ, Fundef, Banco do Brasil, Trevisan e um punhado de parlamentares arregimentados aqui e ali. A repartição do território deixou todo mundo feliz. Por um ano e meio, Lula aprovou o que bem entendeu no Parlamento, ao mesmo tempo que as operadoras de telefone tentaram formar um cartel para manipular o reajuste de tarifas. A trégua só foi rompida depois do caso Kroll, em meados de 2004. A Anatel, comandada por Gushiken, lançou os fundos de pensão à conquista da Brasil Telecom. Dirceu não deu proteção a Dantas, fugindo do campo de batalha. Quando Dantas parou de pagar o mensalão, o governo acabou.

Lula? Lula imaginou que poderia ficar indefinidamente com um pé de cada lado. Não deu certo. Tendo de optar, optou pelos amigos da Telemar, que garantiram o futuro de dois de seus filhos, comprando a empresa do primeiro e financiando a estada em Paris da segunda.

Essa é a história do governo Lula. Fim.

Quando publiquei o segundo artigo sobre Daniel Dantas, ele entrou em contato comigo por meio de colaboradores. Eles negaram o pagamento do mensalão. Por outro lado, contaram-me que:

1. Em outubro de 2002, a Brasil Telecom dera 2 milhões de dólares para o caixa dois da campanha de Lula, numa operação coordenada por Antonio Palocci e Delúbio Soares.

2. A Telemar, operadora da qual Daniel Dantas também era sócio, doara 6 milhões de dólares à campanha de Lula. Os detalhes sobre o acordo entre a Telemar e o PT haviam sido transcritos num documento, criptografados e publicados num jornal de Minas Gerais em novembro de 2002.

3. Um agente da Kroll, a empresa de espionagem contratada pela Brasil Telecom, descobrira a existência de contas secretas de membros do governo em paraísos fiscais, incluindo uma de Lula, no Delta Bank, nas ilhas Caiman.

Relatei os fatos a *Veja*. Informaram-me que Marcio Aith, editor-executivo da revista, já estava apurando o caso das supostas contas em paraísos fiscais. A partir de então, em todos os meus contatos com os colaboradores de Daniel Dantas, insisti para que eles nos entregassem o quanto antes os documentos que alegavam ter.

YAKISOBA NA LINHA

Tenho falado com muita gente. Um monte de golpistas. Um monte de informantes que prometem me apontar o caminho para derrubar o governo, entregando-me documentos comprometedores sobre a camarilha do PT. O melhor aspecto de participar de uma conspiração contra o governo são os telefonemas. Fazemos questão de falar em código, como se o lado de lá pudesse ter interesse em grampear nossas conversas.

— Estou para receber as reservas de hotel.

— Quando?

— Segunda-feira.

— O quarto tem vista para o mar ou para os fundos?

— Para o mar.

— Quantas estrelas tem o hotel?

— Quatro.

— Tem reserva para a suíte presidencial?

— Claro.

— Qual é a especialidade culinária do restaurante?

— Yakisoba.

De vez em quando, os códigos criam mal-entendidos.

— A bananeira deu frutos.

— Tem banana-nanica?

— Um monte.

— Tem banana-prata?

— Depende de quem a gente quer chamar de banana-prata.

— Banana-prata é aquele que vem logo abaixo do banana-ouro.

— Quem é o banana-ouro?

— O bananão-mor, o bananão supremo, o bananão dos bananões.

— Lula?

— É.

— O bananão dos bananões ainda não está maduro.

— Quando ele cai?

— Daqui a duas semanas.

Até agora, minha maior contribuição para a derrubada do governo foram os artigos das duas últimas semanas, em que contei a origem do "mensalão". O primeiro artigo foi construído inteiramente a partir de deduções. Dei uma finalidade a todas aquelas horas que perdi lendo Rex Stout. Sem sair de casa, sedentário e gordo como Nero Wolfe, encontrei a pista certa para resolver o mistério. O segundo artigo da série, publicado na semana passada, foi uma combinação entre dedução e apuração. Meio a meio. Entrou em ação meu lado Archie Goodwin. Nesta semana, finalmente, preparei-me para revelar o nome do assassino. Reuni todos os suspeitos na sala de estar e, sentado na poltrona, comecei a apresentar o resultado de minha genial investigação. Só que apareceu um problema. Recebi um telefonema urgente de um colega conspirador:

— Lua cheia no dia 22 de setembro.

— Tem certeza?

— Absoluta.

— E o que eu faço agora?

— Eclipse total.

Fui obrigado a interromper o artigo-bomba que estava escrevendo e começar este aqui, no estilo basbaque de Luis Fernando Verissimo. Sinto muito. Não posso derrubar o Lula nesta semana. Prometo derrubar na próxima.

MINHA VIAGEM A BRASÍLIA

Quarta-feira. Congresso Nacional. É minha primeira e última vez em Brasília. Arrependo-me de ter vindo assim que ponho os pés na cidade. Por algum motivo, decidi acompanhar de perto a eleição para presidente da Câmara. Quando termina a apuração do primeiro turno, os parlamentares se reúnem nos gabinetes, nos corredores, na sala do cafezinho. Compram e vendem votos.

Geddel Vieira Lima acusa Renan Calheiros de se vender a Lula. Pergunto o que exatamente Lula deu a Calheiros. Geddel responde que seria leviano acusá-lo sem provas. Em seguida, relaciona os boatos que circulam no plenário, segundo os quais Calheiros teria recebido concessões de rádio, cargos nos ministérios e um bocado de dinheiro vivo.

ACM Neto diz que a oposição errou. Deveria ter pedido o *impeachment* de Lula logo depois do depoimento de Duda Mendonça na CPI dos Correios. Afirmo que ainda dá tempo para derrubar o presidente. Ele responde que não dá mais.

Delcídio Amaral promete convocar à CPI todos os doleiros que operaram para o PT. Ele também acaba de tomar conhecimento de um relatório do TCU que indica um superfaturamento de 2 bilhões de reais em obras da Petrobras. Pergunto se ele vai deixar o PT. Ele responde que não sabe. Sua maior queixa contra o partido não é o superfaturamento na Petrobras, ou o dinheiro operado por doleiros. Sua maior queixa é o governador de Mato Grosso do Sul, Zeca do PT, que o classificou como "infantil".

Uma assessora parlamentar me alerta que o doleiro Toninho da Barcelona, acusador do PT, recebeu uma pena praticamente igual à de Fernandinho Beira-Mar. Ela me alerta também que Toninho da Barcelona tem sido sistematicamente violentado na cadeia.

Denise Frossard diz que, vendo os parlamentares governistas, "sente saudade de seus bandidos". Ela se refere aos bandidos comuns, de seus tempos como juíza, no Rio de Janeiro.

José Eduardo Cardoso defende uma reforma política. Ele reclama, com toda a razão, que o Congresso Nacional tem nordestinos demais.

José Dirceu acompanha distraidamente a apuração do segundo turno. Diz que vai lecionar em Harvard. Diante da incredulidade geral, é obrigado a explicar: "Fui convidado pelo Mangabeira Unger." Dirceu diz também que pretende fazer uma longa viagem pelos Estados Unidos. E acrescenta orgulhoso: "Fui convidado pelos republicanos." Depois do ano sabático, Dirceu planeja retomar o comando do PT. Aviso que o PT terá acabado daqui a um ano. Ele garante que não. Cita os altos e baixos da carreira política de Tancredo Neves, para demonstrar que o brasileiro tem memória curta. Dirceu está ruim da cabeça. Continua a negar seu fracasso.

Aldo Rebelo acaba de ser eleito. Os mensaleiros atiram-no para o alto. Todos os deputados com quem falei hoje — foram mais de trinta — o consideram um perfeito idiota. Por isso estão tão felizes. Por isso não o deixam se espatifar no chão.

Desde a denúncia de Roberto Jefferson, boa parte da imprensa só se empenhava em inocentar Lula. Achei que valia a pena revelar o nome de alguns jornalistas que, a meu ver, defendiam o petismo.

O GRANDE EXPURGO

Depois de derrubar Lula, não quero uma medalha, não quero uma estátua eqüestre, não quero que me cubram de dinheiro. Meus desejos são mais singelos. Quero que me chamem para comandar o grande expurgo do petismo na imprensa.

Minha primeira medida será eliminar, para sempre, qualquer notícia sobre figuras como Hélio Bicudo. Ele errou em todas as suas escolhas políticas. Não estou interessado em conhecer as atuais escolhas políticas de um velhinho que, até hoje, só errou. Claro que Hélio Bicudo é apenas um exemplo. Minha lista de personagens proscritos é longa e abrangente. Os petistas estão em todos os lugares. Tomaram conta de tudo. Os jornais cismam em perguntar o que eles pensam sobre os mais variados assuntos. Mesmo que, comprovadamente, eles não pensem nada que valha a pena. É o caso de Luiz Eduardo Soares. Qualquer reportagem sobre a criminalidade precisa contar com sua opinião, embora ele tenha fracassado em suas inúmeras passagens pelo governo, municipal, estadual ou federal. Não vejo o menor motivo para consultá-lo sobre o tema. Mas lá está ele, agora mesmo, pontificando sobre o desarmamento.

É um erro confundir o petismo com o PT. O petismo é muito mais danoso e muito mais antigo que o PT. Há pelo menos sete décadas ele atrofia o pensamento nacional. Há pelo menos sete décadas ele condena o país ao atraso. É preciso erradicar o petismo das cartilhas escolares, do comércio agrícola, da pesca submarina, da Fiesp, da Febraban, do PSDB. Do meu lado, posso ajudar a erradicá-lo da imprensa. Tenho olho para petistas. Consigo identificá-los até pelo cheiro. Mostre-me um artigo de Luiz Garcia, e eu saberei lhe dizer exatamente como, quando e onde ele é petista. Outro dia, um sindicato de jornalistas protestou porque, em tom de blague, eu disse que doaria dinheiro a Pat Robertson, o pastor americano que defendeu o assassinato de Hugo Chávez. Minha maior alegria, no campo profissional, é saber que estou tirando o emprego de um desses jornalistas petistas.

Não que a batalha seja fácil. O petismo contaminou todas as áreas da imprensa, das charges políticas às páginas esportivas. Até o horóscopo é petista. Marcelo Madureira me deu de presente um livro intitulado *O governo Lula e os astros*. Foi publicado em 2003. Nele, a astróloga petista Bárbara Abramo, do jornal *Folha de S. Paulo*, fazia suas previsões sobre o futuro do Brasil. Ela garantia que Lula e José Dirceu conseguiriam "mudar o país", promovendo melhorias "dignas de nota na educação, na saúde, no meio ambiente". A entrada do Sol em Áries daria origem a "um novo jeito brasileiro de ser, resgatando riquezas culturais da floresta, das populações esquecidas por este Brasilzão de meu Deus". Eu não quero o resgate das riquezas culturais da floresta. Quem quer o resgate das riquezas culturais da floresta é Aldo Rebelo.

Lula está morto. Mas o petismo ainda sobrevive. Se soubermos aproveitar a morte política de Lula para enterrar definitivamente o petismo, o país sairá um pouco menos emburrecido dessa enrascada em que se meteu. Prometo cumprir minha parte.

O BRASIL PIORA SE LULA FICAR

Os leitores me abordam na rua. Querem saber quando vou cumprir a solene promessa de derrubar Lula. Minha resposta é sempre igual: na semana que vem. Os leitores se despedem desconsolados, lamentando-se do resultado da última pesquisa do Ibope ou da pusilanimidade dos tucanos. O fato é que ninguém mais acredita em mim. Perdi o pouco de credibilidade que ainda tinha. Os leitores acham que estou blefando. Que sou um bufão. Que não tem mais jeito. Que Lula vai conseguir se safar. O próprio Lula acha que vai conseguir se safar. Para ele, os problemas desaparecem magicamente, como as testemunhas do assassinato de Celso Daniel. Um desaparece com um tiro nas costas. Outro, num acidente de motocicleta. Outro, na cadeia. Outro, de gripe.

Eu nunca dei bola para o que pensam os leitores. Mas eles estão certos em se preocupar. Por mais melodramático que possa parecer, o destino de Lula é determinante para o futuro do país. Há dois cenários. No primeiro, Lula cai e o Brasil melhora. No segundo, Lula fica e o Brasil piora. É simples assim.

O máximo que podemos desejar de um político é que ele tenha medo de roubar. Os lulistas não tinham medo. Por dois anos e meio, roubaram e deixaram roubar, absolutamente seguros de que não seriam descobertos. Se Lula cair, seu sucessor terá um pouquinho mais de medo. Se Lula ficar, a roubalheira será legitimada. Os lulistas resolveram que devemos nos render a todas as formas de bandidagem. Com o referendo sobre o desarmamento, querem nos render aos bandidos comuns. Com o indulto a Lula, querem nos render aos bandidos do Estado.

Lula é nosso Bettino Craxi. Quando os magistrados italianos denunciaram o esquema de financiamento ilegal do Partido Socialista, Craxi se defendeu acusando os outros partidos de práticas semelhantes: se todos são culpados, ninguém pode ser punido. Lula tenta usar o mesmo argumento: se todos foram eleitos com dinheiro de caixa dois, não há por que condenar apenas a ele. No caso de Craxi, não colou. Os magistrados italianos continuaram a persegui-lo. Ele morreu foragido na Tunísia, para evitar a cadeia. Os políticos italianos não melhoraram. Por outro lado, passaram a roubar um pouco menos.

Não sei se Lula terá de se refugiar na Tunísia. Espero que sim. Nesse caso, poderemos aproveitar o vácuo político para tentar ajeitar o país. Minha proposta é que os parlamentares nomeiem uma comissão de notáveis, composta de juristas e tributaristas, como Raul Velloso, Miguel Reale Jr. e Eduardo Gianetti da Fonseca. Eles seriam encarregados de redigir uma ampla reforma do Estado, para cortar aposentadorias, eliminar impostos, abater sindicatos, suprimir direitos trabalhistas, limpar o Judiciário e diminuir o peso dos políticos, enterrando boa parte das asnices de nossa Carta Constitucional. Depois disso, o texto passaria por um plebiscito. O Brasil ficaria melhor.

Agora só falta derrubar Lula.

NA FALTA DE ASSUNTO, CAETANO

Caetano Veloso mandou um artigo para um *blog*, falando mal de *Veja*. Ele falou mal de *Veja* porque *Veja* falou mal do Moby. Quase no fim do artigo, ele fez um comentário a meu respeito. Não é a primeira vez que isso acontece. Todo ano Caetano Veloso me dá uma canja. Já faz parte do meu folclore pessoal. Exatamente da mesma maneira que roubar já faz parte do folclore do PT, como afirmou o recém-eleito presidente do partido, Ricardo Berzoini. No ano passado, Caetano Veloso me chamou de "abacaxi com caroço". Até hoje não entendi o significado do apelido. Agora, no artigo para o *blog*, ele declarou: "A glória de Mainardi contra Lula é merecida. Mainardi, com seu cinismo que só serve para desembaraçar a cabeça de quaisquer preocupações (ou inspirações) maiores, terminou citando sempre dados majoritariamente comprováveis."

A primeira parte do comentário de Caetano Veloso eu entendo: "A glória de Mainardi contra Lula é merecida." É verdade. Ele tem inteira razão. Façam como ele: aplaudam-me. Reverenciem-me. Eu mereço. Fico me jactando o tempo todo. Fico repetindo, dia e noite, há quatro meses, que sou o maioral, que sou o bambambã, que sou o sabichão. Meus familiares já não me suportam. Meus colegas de *Veja* também não. Atualmente, todos os colunistas, de toda a imprensa, se atribuem o mérito de ter alertado os leitores sobre a desonestidade de Lula e do PT. Eu quero que saibam que guardo no arquivo do computador as provas do adesismo de cada um deles. Os únicos que não caíram no golpe da quadrilha lulista foram as "contrafações paulistas de Paulo Francis", como diria Caetano Veloso.

A segunda parte do comentário de Caetano Veloso a meu respeito é bem mais enigmática. Leiam-na novamente. Analisem-na com atenção. Que cinismo? Que desembaraço? Que cabeça? Que preocupações (ou inspirações) maiores? Que dados majoritários? Não tenho certeza, mas acho que a intenção de Caetano Veloso era elogiar-me. Se o interpretei corretamente, ele pretendia dizer que sou um bufão, mas um bufão que sempre diz um monte de verdades. O fato é que Caetano Veloso não gosta de *Veja*. Mas ama Moby, Mangabeira Unger e Mainardi. Não sei se devo me sentir lisonjeado. Moby é aquele músico que pediu perdão ao ditador venezuelano Hugo Chávez pela eleição de George W. Bush. Mangabeira Unger é aquele candidato presidencial que, recentemente, se filiou ao partido da Igreja Universal e convidou José Dirceu a dar aulas em Harvard. Mainardi é aquele humorista que quer derrubar Lula.

Mandei uma mensagem a Caetano Veloso. Perguntei-lhe o que de pior ele teria a dizer sobre Lula. Se ele responder, publico aqui, na semana que vem, caso falte um assunto melhor, como aconteceu nesta semana.

O FIM DE LULA. E O MEU

Ganhei de presente um Lula de pelúcia. É uma obra do artista plástico Raul Mourão. O Lula de pelúcia mede dois palmos de altura. Fica sentadinho, de pernas abertas. Tem o rosto amarelado, como o do sertanejo que passou tempo demais longe do sol. O pé inchado. O olhar perdido. O cabelo ruim. O terno mal cortado, de material sintético.

O Lula de pelúcia me pegou de jeito. Desde a última quarta-feira, não consigo largá-lo. Ele desencadeou em mim uma série de pensamentos alarmados. Quem me acompanha sabe que, nesses anos todos, Lula foi meu ursinho Pooh, meu amigo imaginário, meu companheiro de jogos. Eu dormi com Lula, acordei com Lula, dei banho em Lula. Quando ganhei o Lula de pelúcia, fui acometido por um forte sentimento de nostalgia. Dei-me conta de que, nos próximos meses, assim que o Lula verdadeiro cair, assim que ele morrer politicamente, assim que ele for enterrado, essa alegre e despreocupada fase da minha vida também chegará ao fim. O meu Lula de pelúcia ficará guardado para sempre no fundo do armário, todo encardido, cego do olho esquerdo, com o bracinho pendente, descosturado.

Lula foi o ponto alto da minha carreira jornalística. Com seu desaparecimento, decairei miseravelmente. De uma hora para outra, não terei mais assunto. O único tema que de fato me interessa são meus filhos. Ninguém aceitará me pagar um salário para escrever sobre eles todas as semanas. O maior, que entra numa relojoaria para pedir jujuba. O menor, que está ficando careca. O maior, que decorou a ordem de todos os anúncios das páginas amarelas. O menor, que caiu da cama e está com um galo na testa. O maior, que roubou uma sandália numa loja de roupas, a fim de acionar o alarme antifurto. O menor, que rasgou meu talão de notas fiscais. Os leitores reclamarão da constrangedora vacuidade da minha coluna. Claro que estarão certos.

Num dado momento do ano passado, quando parecia que Lula conseguiria se perpetuar no poder, pensei aliviado que nunca mais teria de ler um livro ou assistir a um filme. Imaginei que poderia passar o resto de minha existência ocupando-me de matérias mais entusiasmantes, como o rombo no Funcef ou o desfalque no DNIT. O fim prematuro de Lula vai acabar com tudo isso. Com muito desgosto, serei obrigado a voltar a ler e a ir ao cinema. Não será o suficiente. Por mais que me empenhe, não saberei o que falar sobre livros e filmes. Numa medida desesperada, tentarei me mudar para Nova York. O aluguel de um apartamento central será caro demais. O fisioterapeuta custará cem dólares por hora. O dinheiro acabará rapidamente. Fugirei para Roma. Também não dará certo. Não acontece nada em Roma. Ninguém quer saber de Roma. Eu não quero saber de Roma. Em menos de dois anos, perderei o emprego na revista e na televisão. Meus filhos me abandonarão. Morrerei com o Lula de pelúcia no colo.

Quando o caso do mensalão já estava devidamente acobertado, veio à tona o caso de Antonio Palocci.

NO TELEFONE COM DIRCEU

José Dirceu fez bem em usar Marcos Valério para comprar apenas os parlamentares governistas. Porque os oposicionistas já estavam comprados. Telefonei a Dirceu.

EU: O senhor acompanhou o papelão da oposição no debate com Antonio Palocci?

DIRCEU: A oposição errou grosseiramente. Para a opinião pública, vai parecer que os senadores oposicionistas não querem apurar as denúncias, só querem fazer discurso eleitoral para desgastar o governo.

EU: O senhor participou da montagem do acordão?

DIRCEU: Não, não participei. Até porque não dá para confiar. Se olharmos os acordos que foram feitos nos últimos cinco meses, a verdade é que a oposição não cumpriu nenhum: o irmão do Lula, o filho do Lula, Palocci, Gilberto Carvalho, Luiz Gushiken, os fundos de pensão, os tesoureiros estaduais do PT, a secretária do PT. Alguém está fazendo acordo para se proteger, mas não é o governo, nem o PT, porque a oposição investiga o que quer, e a CPI dos Bingos faz o que quer.

EU: Os senadores oposicionistas alegaram não ter tido tempo para se preparar. O que eles fizeram até agora?

DIRCEU: Foi ridículo. Mesmo com todas as CPIs funcionando, a oposição não tem o que perguntar ao ministro?

EU: Palocci é responsável pela maior carga tributária da história, e pela terceira menor taxa de crescimento do PIB dos últimos cem anos, na comparação com o resto do mundo. Por melhor que tenha sido o acordão, não foi um exagero da oposição elogiar Palocci por dez horas seguidas?

DIRCEU: A oposição está sem estratégia. Apostou no *impeachment*, mas depois perdeu o *timing*. Acabou predominando a linha do Jorge Bornhausen: uma retórica radical, mas que não leva em conta a reação da opinião pública. A gente se pergunta se eles querem mesmo investigar e apurar, ou se estão apenas acumulando forças para disputar a eleição.

EU: Palocci disse que Rogério Buratti o acusou de receber propina porque foi seviciado pela polícia de São Paulo. Não é espantoso que nenhum senador tenha perguntado a Palocci se, em sua opinião, Buratti foi seviciado também no Congresso Nacional, considerando que ele repetiu as mesmas acusações na CPI?

DIRCEU: A oposição está perdida.

EU: Dá para confiar numa oposição como a do PSDB, que acaba de nomear para presidente o senador Tasso Jereissati, irmão de um dos maiores financiadores da campanha de Lula?

DIRCEU: *(risos)* O PSDB e o PFL perderam completamente o foco em relação à investigação. O negócio deles não é apurar a corrupção, não é punir o caixa dois, é apenas impedir o governo de governar.

EU: O fato é que todos os partidos tomaram dinheiro das mesmas fontes. Por isso a oposição não pega o PT, e o PT não pega o governo anterior.

DIRCEU: Eu não fiz acordo com ninguém. Eu teria feito uma representação contra o Eduardo Azeredo.

EU: O senhor sugeriu a Daniel Dantas que ele contratasse seu amigo Kakay, pois só assim a Brasil Telecom conseguiria a liberação de um empréstimo de 1 bilhão de reais do BNDES?

DIRCEU: Kakay nunca precisou de mim para advogar. Ele é um dos maiores advogados do país.

EU: Espero que o senhor volte para a oposição o quanto antes.

POSSO ACUSAR PALOCCI

Rogério Buratti acusou Antonio Palocci de receber uma propina mensal de 50 mil reais, quando era prefeito de Ribeirão Preto. Palocci disse que não vai processar Buratti. Ele disse também que não vai processar os jornalistas que o acusaram. Isso é bom para mim. Isso é bom para toda a imprensa. Eu, que não sou tonto, resolvi aproveitar. É raro encontrar um político disposto a apanhar sem reclamar. Posso acusar Palocci quanto quiser. Posso difamá-lo. Posso insultá-lo. Posso contar tudo o que sei a seu respeito, embora não tenha como prová-lo. Porque Palocci disse que não vai processar ninguém.

Mandei uma mensagem ao seu secretário de imprensa, Marcelo Netto, só para garantir que não o interpretei equivocadamente:

O ministro Antonio Palocci promete não me processar, mesmo que eu o acuse pesadamente?

Marcelo Netto não me respondeu. Reformulei a pergunta:

Rogério Buratti acusou o ministro Palocci e não está sendo processado. Outros jornalistas acusaram o ministro Palocci e não estão sendo processados. Será que eu também posso acusá-lo?

Mais uma vez, Marcelo Netto me ignorou. Liguei para seu gabinete. Ele não me atendeu. Liguei de novo. Ele estava em reunião. Mandei-lhe uma terceira mensagem:

O ministro Palocci me processaria se eu o acusasse de ter arrecadado dinheiro sujo para a campanha eleitoral de Lula?

Estou esperando uma resposta até agora. Marcelo Netto sumiu. Não sei se tenho a permissão para acusar Palocci. Imagino que sim. Se Buratti pode, por que eu não poderia? Por outro lado, Palocci e Buratti são velhos companheiros. Já repartiram tudo, inclusive a mesma recepcionista de Anápolis.

Lula declarou que Palocci é imprescindível. Por isso eu quero que ele caia. Palocci está salvando Lula. Quem salva Lula é ruim para o país. O melhor para todos seria que Palocci pedisse demissão e Lula abrisse o cofre. Um ano de crise financeira bastaria para acabar com o lulismo pelos próximos trinta anos.

Palocci está certo quando afirma que é necessário cortar despesas e aumentar o superávit fiscal. Ele só escolheu a maneira errada para cumprir a tarefa. Não dá para depender apenas do aumento de impostos e do contingenciamento de gastos. O Brasil precisa de cortes estruturais. Lula teve sua melhor oportunidade em 2003, com a reforma previdenciária. Para aprová-la, pagou o mensalão, liberou 700 milhões de reais em emendas parlamentares e expulsou do PT gente como Heloísa Helena e Babá. Foi inútil, tanto que, na última reunião da Comissão de Assuntos Econômicos, Palocci admitiu que os gastos previdenciários continuam fora de controle.

Ocorreu-me mais uma pergunta. Mandei-a ao secretário de imprensa de Palocci:

O ministro Palocci prometeu que a carga tributária lulista não superaria a do governo anterior. Pelos dados da Receita Federal, a carga tributária da União entre 1999 e 2002 correspondeu, em média, a 23,25% do PIB. Nos dois primeiros anos do governo Lula, ela pulou para 24,63%.

Posso chamar Palocci de mentiroso?

A imprensa imediatamente se ofereceu para auxiliar Antonio Palocci.

OBSERVATÓRIO DA IMPRENSA

Os lulistas reclamam da imprensa. Não entendo o motivo. Lula já teria sido deposto se jornais, revistas e redes de televisão não estivessem tomados por seus partidários.

Eu acompanho todo o noticiário político. Minha maior diversão é tentar adivinhar a que corrente do lulismo pertence cada jornalista. Não sou um grande especialista no assunto. Não freqüento o ambiente jornalístico. Tenho apenas quatro ou cinco amigos no ramo. E nunca fui de esquerda. Não sei direito quem é quem dentro do PT. Esses pelegos me parecem todos iguais. Mas tenho um bom olho para reconhecer o jargão lulista. Não preciso de mais de uma frase, perdida no meio de um artigo, para identificar um governista infiltrado.

O Globo tem Tereza Cruvinel. É lulista do PC do B. Repete todos os dias que o mensalão ainda não foi provado. E que, de fato, José Dirceu não deveria ter sido cassado. Cruvinel aparelhou o jornal da mesma maneira como os lulistas aparelharam os órgãos públicos. Quando ela tira férias, seu cunhado, Ilimar Franco, assume sua coluna.

Kennedy Alencar foi assessor de imprensa do PT. Ele continua sendo assessor de imprensa do PT, só que agora de maneira não declarada, em suas matérias para a *Folha de S. Paulo*. Ele é o taquígrafo oficial de André Singer, secretário de Imprensa de Lula. Singer dita e Kennedy Alencar publica.

Franklin Martins é José Dirceu até a morte. Eliane Cantanhêde é da turma de Aloizio Mercadante. Luiz Garcia é lulista, sem dúvida nenhuma, mas não consigo identificar sua corrente. Vinicius Mota é do grupo de Marta Suplicy. Quem mais? Alberto Dines é seguidor de Dirceu, e só se cerca de seguidores de Dirceu. Alon Feuerwerker, do *Correio Braziliense,* é do partidão, e apóia quem o partidão mandar. Paulo Markun, da TV Cultura, tem simpatia por qualquer um que seja minimamente de esquerda. Paulo Henrique Amorim é lulista de linha bolivariana. Ricardo Noblat era lulista ligado a Dirceu, mas pulou fora no momento oportuno.

Leonardo Attuch, da *IstoÉ Dinheiro,* é subordinado a Daniel Dantas. Quando Dantas está satisfeito com o governo, Attuch é governista. Quando Dantas está insatisfeito com o governo, Attuch vira oposicionista. Mino Carta, por outro lado, é subordinado a Carlos Jereissati. Tem a missão de atacar Dantas. E de defender a ala lulista representada por Luiz Gushiken.

Os jornalistas que não pertencem à área de Dirceu, Gushiken, Mercadante, Suplicy ou Rebelo em geral pertencem à área de Antonio Palocci. Nunca houve um político tão protegido pela imprensa quanto ele. Palocci tem defensores influentes em todos os veículos, sobretudo em *O Estado de S. Paulo* e *Valor.*

Nem mesmo *Veja* escapa do tribunal macartista mainardiano. Os lulistas costumam definir a revista como tucana, mas eu desconfio que ela esteja cheia de lulistas. Não posso revelar seus nomes por puro corporativismo. E porque não quero perder aqueles quatro ou cinco amigos na profissão.

O artigo anterior rendeu dois processos contra mim: de Leonardo Attuch e de Mino Carta. Ganhei ambos.

OBSERVATÓRIO DA IMPRENSA 2

Dedurei um punhado de jornalistas lulistas na coluna da semana passada. Um dos citados foi Alberto Dines. Ele respondeu o seguinte:

> *O pitoresco caçador de bruxas* [eu] *tem horror às esquerdas. Mas já que pretende denunciar o comprometimento político dos jornalistas conviria que não perdesse de vista o avanço da Opus Dei na imprensa. Inclusive onde ele próprio atua.*

Mandei uma mensagem a Dines. Pedi-lhe uma lista com o nome de todos os jornalistas ligados à Opus Dei. Prometi publicá-la integralmente em minha coluna. Ele me aconselhou a ler seus artigos sobre o tema. Eu li. Num deles, Dines comete a ousadia de associar a Opus Dei ao símbolo da loja Daslu. Mas não cita o nome de nenhum jornalista. Insatisfeito, mandei-lhe outra mensagem, reiterando o pedido de uma lista com nomes. Dines desapareceu. Ele é pago para pontificar a respeito da imprensa na televisão pública, na rádio pública, na internet, nas universidades. Ele acusa a imprensa de estar tomada por jornalistas da Opus Dei, mas não tem coragem de identificá-los. Eu apontei o nome de uns pelegos lulistas na imprensa, e fui considerado um espertalhão leviano em busca de reconhecimento.

É por isso que tenho "horror às esquerdas". Porque elas mentem. Porque elas enganam. Todas elas. Do stalinismo quercista de Fernando Morais ao onguismo endinheirado de Gilberto Dimenstein, do comunismo de batina de Marcelo Beraba ao populismo futebolístico de Juca Kfouri, do desbunde teatral de Nelson de Sá ao lobismo piantellano de Mario Rosa. O lulismo roubou muito mais do que o collorismo. Cláudio Humberto, assessor de imprensa de Collor, até hoje é perseguido por seus colegas. Os jornalistas que se subordinaram a Lula devem receber o mesmo tratamento: André Singer, Ricardo Kotscho, Eugenio Bucci.

Dines se atribuiu o papel de autoridade em matéria de jornalismo, mas usa um critério rasteiro para julgar meu trabalho: o número de cartinhas que recebo semanalmente dos leitores. Como se eu fosse um galã de telenovela. Quando recebo muitas cartinhas, ele me acusa de sensacionalismo. Quando recebo poucas cartinhas, ele comemora, garantindo que minha carreira está acabada. O principal argumento de Dines é que, se eu continuar a falar mal do Lula, cairei no esquecimento. É um jeito malandro de me aconselhar a mudar de assunto. O recado intimidatório não vale só para mim, mas para todo o resto da imprensa. Dines quer demonstrar aos jornalistas que o público não agüenta mais seguir a cobertura do mensalão, ou da propina da Leão & Leão, ou do assassinato de Celso Daniel, ou do pagamento à Coteminas. Claro que é mentira. Claro que é uma manobra desonesta para abafar a crise. O que o público não agüenta mais é o próprio Lula. Os leitores não estão enjoados do noticiário político — estão enojados. Pouco tempo atrás, um artigo de um fanfarrão como eu podia bastar para eles. Já não basta mais. Eles querem os lulistas no tribunal. Eles querem os lulistas na cadeia.

Quando começaram as absolvições dos mensaleiros na Câmara dos Deputados, liguei para Fernando Henrique Cardoso e denunciei, mais uma vez, o comprometimento da oposição.

BATE-BOLA COM FHC

Fernando Henrique Cardoso. Pelo telefone.

EU: Lula não será candidato à reeleição.

FHC: Será, sim.

EU: Quanto quer apostar?

FHC: Um café.

EU: Um café? Dizem que o senhor é pão-duro.

FHC: Eu fui pobre a vida toda.

EU: Muita gente diz que Lula será obrigado a concorrer porque, se não o fizer, o PT tenderá a desaparecer. Isso é bobagem. Lula está se lixando para o PT. Ele só pensa nele mesmo. O que ele quer é evitar uma derrota vexatória.

FHC: Mas ele acha que vai ganhar.

EU: Quem falou abertamente sobre a possibilidade de Lula entregar os pontos foi o ministro Jaques Wagner. Não confio em Wagner quando se trata de esclarecer suas relações com a GDK. Sobre a aposentadoria antecipada de Lula, porém, não creio que ele minta. Ele até ditou as condições para que Lula abandone a candidatura: basta a oposição abafar a CPI. É o que os senhores da oposição estão fazendo, não é?

FHC: Não sou favorável a isso, não. A CPI tem de continuar. Me preocupa muito um voto como o da última quarta-feira, que salvou o deputado Romeu Queiroz. Me preocupa muito mesmo.

EU: O senhor já tinha ouvido falar no esquema de Marcos Valério?

FHC: Não. Nunca.

EU: O pessoal do PSDB mineiro nunca mencionou seu nome?

FHC: Não. Nunca.

EU: Se Lula abandonar a candidatura à reeleição, o maior prejudicado será José Serra. O único argumento que ele tem para largar a prefeitura de São Paulo, no meio do mandato, é que Geraldo Alckmin corre o risco de perder contra Lula. Sem Lula no páreo, Serra fica atrelado à prefeitura.

FHC: Eu não sinto que, até agora, Serra tenha decidido largar a prefeitura. A população está fazendo justiça compensatória. Votou em Lula, não deu certo, então quer votar no outro, no que foi derrotado.

EU: Se Lula abandonar a candidatura, o senhor terá de engolir o Alckmin.

FHC: O mais provável, nesse caso, seria o Alckmin, sim.

EU: Lula apoiaria Ciro Gomes?

FHC: Apoiaria.

EU: Ele tem voto fora do curral eleitoral de Sobral?

FHC: Acho difícil. Depois do que fez na última campanha, ele não tem a menor chance de se eleger.

EU: O senhor sabe quem será o candidato de José Sarney? Ele tem talento divinatório. Da mesma maneira como retirou todo o seu dinheiro do Banco Santos um dia antes da intervenção do Banco Central, escolherá o candidato vencedor no momento oportuno.

FHC: Ele deve estar aflito. Tudo indicaria um apoio no setor do Lula. Se as antenas dele estiverem aptas para captar o sentimento do eleitor, como costumam estar, não creio que ele faça isso, não.

EU: Como a eleição já está decidida, com a derrota de Lula, a maior questão de 2006 é a Copa do Mundo. O senhor é favorável à escalação de quatro atacantes na seleção brasileira?

FHC: Sou favorável, sim. Acho que tem de atacar.

EU: Eu escalaria um a menos. Sou conservador.

FHC: Ainda mais do que eu.

EU: Muito obrigado pela entrevista. Eu me senti um Merval Pereira.

FHC: Olha que é a primeira vez que eu falo sobre isso com a imprensa.

Ainda não paguei o café a Fernando Henrique Cardoso.

UMA ANTA NA MINHA MIRA

Hebe Camargo me telefona de duas em duas semanas. Pelo menos acho que é a Hebe Camargo. Ela nunca se apresentou. Mas o tom de voz é dela. O jeito de falar é dela. O último telefonema foi assim:

HEBE: Por que você abaixa a cabeça toda vez que aparece na televisão?

EU: Não sei.

HEBE: Precisa parar com isso.

EU: Vou tentar.

HEBE: Quando você perder o emprego, conte comigo.

EU: Não vai demorar muito.

HEBE: Pode trabalhar como meu segurança.

EU: Você paga bem?

HEBE: Pago.

EU: Minha forma física não anda muito boa.

HEBE: Não importa. Eu te amo.

EU: Eu também te amo.

Hebe Camargo me ama. Eu amo Hebe Camargo. É um bom resumo do que aconteceu no Brasil em 2005. Desconfio que, até o ano passado, ela jamais tivesse ouvido falar em mim. Justamente, aliás. Agora ela não só me conhece, como me faz propostas tentadoras pelo telefone. Eu sou um dos muitos personagens obscuros que, com a crise política, conquistaram glória passageira. Como o tesoureiro do PL. Como a cafetina dos ribeirão-pretanos. Como o doleiro dos petistas. Como a secretária de Ideli Salvatti. A secretária de Ideli Salvatti foi convidada para posar nua na *Playboy*. Eu fui convidado para falar sobre Ivete Sangalo no programa do Faustão. Não pude aceitar porque não sabia quem era Ivete Sangalo. Depois me informei. É aquela do comercial da Chevrolet.

Passei o ano todo amolando Lula. Dediquei-lhe mais de trinta artigos. Prometi derrubá-lo em 2005. Fracassei. Prometo derrubá-lo em 2006. Chegaram a atribuir motivos ideológicos à minha campanha contra o presidente. Não é nada disso. Tentei derrubá-lo por esporte. Há quem pesque. Há quem cace. Eu não. Prefiro tentar derrubar Lula. Ele é minha anta. Ele é minha paca. O fato é que atirei tanto, e em tantas direções, que acabei atingindo um monte de alvos. Virei o cacique Cobra Coral do parajornalismo. O cacique Cobra Coral é um espírito que, segundo aqueles que o encarnam, conseguiu prever o 11 de Setembro, o tsunami, a data exata do ataque americano a Bagdá e o paradeiro da filha de Silvio Santos. Como se não bastasse, ele está à frente da Tunikito Corporation, que usufrui benefícios fiscais para atuar no ramo dos seguros de vida e no do aluguel de automóveis importados. Eu não tenho automóveis importados para alugar. Mas ninguém pode dizer que não previ a ruína de Lula.

2005 acabou. O que vai sobrar deste ano, felizmente, não é a canalha política, e sim a história pessoal de cada um de nós.

Em junho, nasceu meu segundo filho.

No fim do ano, meu filho mais velho conseguiu dar dezesseis passos.

Como disse Voltaire, o que é preciso é cultivar nosso jardim.

2006

IT'S RAINING MEN

Henrique Meirelles é meu vizinho. Tem um apartamento no prédio ao lado do meu. Ele deu uma festa no Ano-Novo. Com música dos anos 80. Muita gente reclama dos juros praticados por Meirelles no Banco Central. Eu reclamo apenas porque ele me impediu de dormir na passagem do ano, atormentando-me com o estribilho:

It's raining men. Hallelujah!
It's raining men. Amen!

• • •

Alberto Dines me acusou de ser chantagista e mafioso. Isso não foi no Ano-Novo. Foi no Natal. Dines disse também que cometi um crime pior do que assassinato. Tudo porque denunciei um punhado de jornalistas que, na minha opinião, eram cupinchas de Lula. Um colega de Dines, se entendi direito, insinuou que participei da morte de Wladimir Herzog. Outro colega de Dines, se entendi direito, disse que enterrei vivo um mineiro nos Estados Unidos. Depois de me chamar de chantagista, mafioso, torturador, sádico e assassino, Dines afirmou num *e-mail* que, ao contrário de mim, não é dado a pichar as pessoas. Essa aula particular de jornalismo teria sido ainda mais notável se Dines não tivesse escrito pichar com *x*.

• • •

José Serra, no Ano-Novo de 2007, estará entrando no Palácio do Planalto. Ele já está eleito. Já ganhou. Não por méritos pessoais. Ele será eleito exclusivamente porque a gente quer se livrar de Lula. E ele é a melhor garantia de que isso vai acontecer.

Não há democracia mais tediosa do que a nossa. Em 1994, um ministro tucano derrotou Lula. Em 1998, o mesmo tucano derrotou Lula. Em 2002, Lula derrotou um ministro tucano. Em 2006, o mesmo tucano vai derrotar Lula.

José Serra terá de pedir desculpas aos paulistanos por quebrar a promessa de ficar na prefeitura até o fim do mandato. Durante a campanha eleitoral, ele fará outras promessas. Dirá que não pretende se candidatar a um segundo mandato presidencial, em 2010. Dirá também que não estenderá seu mandato até 2011. Ninguém acreditará nele. Melhor assim.

Embora esteja matematicamente eleito, José Serra ainda precisa explicar o que pretende fazer no governo:

— Ele prorrogará a CPMF?

— Ele desmontará a arapuca fiscal do Bolsa-Família? Os brasileiros são menos otários do que parece. Para cada voto que Lula ganha com o Bolsa-Família, ele perde dois da classe média.

— José Serra fará uma reforma previdenciária de verdade? Uma reforma trabalhista?

— Ele retomará a venda das empresas estatais? O fantasma de Ricardo Sérgio de Oliveira até hoje assombra José Serra. Como privatizar sem roubalheira?

— Dá para financiar uma campanha presidencial sem roubar?

— Por que ele não exige a expulsão imediata de Eduardo Azeredo do PSDB?

— Que cargo ele oferecerá a Geraldo Alckmin?

— Quem será seu ministro da Fazenda? Armínio Fraga?

• • •

Hallelujah! Amen!

Lula se livrou de José Dirceu e do PT, apostando todas as suas fichas no mais despudorado fisiologismo. A morte política de José Dirceu representou a ressurreição de Lula.

CAPITÃO DIEGO

Diego. José Dirceu sempre me chama de Diego. Já virou meu codinome: capitão Diego. É assim que sou conhecido nos porões do DOI-Codi. É assim que sou conhecido nos porões do Cenimar. O último número da revista *Caros Amigos* tem uma longa entrevista com José Dirceu. Ele declara que eu, capitão Diego, represento "uma mancha na história da imprensa brasileira". Ele declara também que sou um "dedo-duro, igual aos da época da ditadura, que dedavam as pessoas para serem torturadas e assassinadas". José Dirceu está enganado. Eu não quero que ele seja torturado nem assassinado. Eu só quero que ele seja preso.

Minha fama de dedo-duro surgiu quando relatei na coluna uma conversa sigilosa que tive com o deputado José Janene. Ele me contou candidamente que José Dirceu ofereceu dinheiro ao PP em troca de apoio do partido a Lula. José Janene nunca me desmentiu. Desde aquela época, os responsáveis pela maior compra de votos da nossa história deveriam ter sido postos na cadeia. Não foi o que aconteceu. José Janene está solto. José Dirceu está solto. E Lula, que deveria ter sido cassado, perdendo seus direitos políticos por vinte anos, ainda planeja se reeleger, por mais ilegítima que seja sua candidatura.

Na entrevista a *Caros Amigos,* José Dirceu repete a lorota de que foi condenado sem provas, e de que é uma vítima de "linchamento político e denuncismo". Para ele, "estamos vivendo uma fase macarthista". O melhor exemplo desse macarthismo, segundo ele, são aqueles meus dois artigos do fim do ano passado, em que denunciei alguns colaboracionistas da imprensa. Um dos colaboracionistas mencionados por mim é Fernando Morais, que agora está escrevendo a biografia oficial de José Dirceu. Nos meios lulistas, há uma certa apreensão sobre o que José Dirceu poderá contar nessa biografia. Na entrevista a *Caros Amigos,* ele manda um recado tranqüilizador aos seus antigos parceiros. Ele afirma que não é igual a mim. Não é um dedo-duro. Não é um capitão Diego. Ficará de boca calada. Desde que os outros fiquem de boca calada a respeito dele.

O recado de José Dirceu não parece ter sido plenamente compreendido pelos lulistas. Todos os dias a imprensa recebe novas denúncias contra ele. O mais intrigante dessas denúncias é que quem as passa aos jornalistas não são os pamonhas dos tucanos, mas sim os próprios lulistas, que se acotovelam para tentar tirar José Dirceu de cena. Nas duas últimas semanas, contaram-me seis boatos comprometedores sobre ele. Todos foram difundidos pela central denuncista do governo. Todos foram imediatamente encaminhados por mim a jornalistas menos trapalhões do que eu. Pena que eu não possa confirmar esses boatos aqui na coluna. Eu sou dedo-duro. Eu sou macarthista. Eu sou do DOI-Codi. Mas, por algum motivo, até hoje não me deixaram usar o pau-de-arara.

Enquanto Lula se reerguia, o PSDB estudava a melhor maneira de perder a eleição.

O INTELECTUAL DE ALCKMIN

Reinações de Narizinho é o livro preferido de Geraldo Alckmin. O governador de São Paulo não é exatamente um grande leitor. Mas pode contar com o incentivo intelectual de um eminente representante do mundo das letras: o secretário de Educação Gabriel Chalita. Chalita é o Visconde de Sabugosa do Sítio do Picapau Amarelo geraldista. Ele é o sábio de cartola do alckminismo. Publicou 39 livros em 36 anos de vida. Só no ano passado, entre um evento beneficente em Pindamonhangaba e uma aula de lien ch'i em Tupã, Chalita lançou seis títulos: *Mulheres que mudaram o mundo*, *Vivendo a filosofia*, *O poder*, *Educar em oração*, *A ética do rei menino* e *Seis lições de solidariedade com Lu Alckmin*. Nesta obra, "em singelas conversas com a primeira-dama do estado, o leitor vai navegando por mares de sensibilidade e ternura".

Lu Alckmin não foi a única mulher biografada por Chalita. Em 1997, ele escreveu *A vida não pode ser só isso*, em que exprimiu toda a sua admiração pela cantora Vanusa. Chalita acompanhou a trajetória de Vanusa desde os tempos da jovem guarda até os sucessos mais recentes, como na ocasião em que ela obteve o merecido quinto lugar no Festival Estrela de Ouro, em Viña del Mar, no Chile. Vanusa até hoje é celebrada por sua interpretação de *Se eu pudesse falar com Deus*, de Nelson Ned:

Eu hoje estou tão triste
Eu precisava tanto conversar com Deus
Falar dos meus problemas
Também lhe confessar tantos
segredos meus
Saber da minha vida e perguntar
por que ninguém me respondeu
Se a felicidade existe realmente ou
se é um sonho meu

Os conceitos pedagógicos de Chalita certamente foram inspirados por Vanusa. Ele acredita que o papel da educação não é "apenas ensinar física, química, biologia, matemática. Na verdade, o maior papel da educação é tocar na alma, é ensinar a ser feliz". Chalita, o Marquês de Rabicó da Igreja da Renovação Carismática, o padre Marcelo Rossi das faculdades Sumaré, aconselha que os alunos orem no começo e no fim das aulas. Ele aconselha também que os alunos orem pelo professor ausente, pelo professor que morreu, pelo aluno que cabulou, pela festa de formatura e pela paixão não correspondida.

Seja quem for o candidato presidencial do PSDB, ele ganha de Lula. Se for José Serra, ganha com folga. Se for Geraldo Alckmin, também ganha, mas com menos folga. Com Alckmin no Palácio do Planalto, Chalita será alçado à condição de Rasputin brasiliense. Alckmin tem grande consideração por ele. Por ele e por Tom Cavalcante. Alckmin recomenda a todos os seus interlocutores que assistam ao espetáculo do humorista. De acordo com ele, é um exemplo de comicidade inteligente.

Fico enauseado só de ouvir falar em Lula e em lulistas. Para quem não agüentava mais essa gente, como eu, a chegada ao poder de Vanusa e do Visconde de Sabugosa é uma liberação.

Um informante me entregou cópias de contratos de Naji Nahas com a Telecom Italia, além de outros documentos que provavam a retirada em seu nome de 3,25 milhões de reais em dinheiro vivo. *Veja* publicou uma matéria sobre o assunto, que foi acompanhada por minha coluna.

PARA ENTENDER O CASO NAHAS

Em maio de 2003, a Telecom Italia estava engajada naquilo que Luiz Gushiken definiu como "o maior conflito societário da história do capitalismo brasileiro". Ou seja, a guerra com o Opportunity pelo controle da Brasil Telecom.

Desde a posse de Lula, o Opportunity, de Daniel Dantas, estava em dificuldade. O governo abusava de seu poder para prejudicá-lo. Antonio Palocci acuava seu principal parceiro, o Citigroup, alijando-o da emissão de títulos públicos e da concessão de créditos do BNDES. Enquanto isso, José Dirceu, Luiz Gushiken e o presidente do Banco do Brasil, Cássio Casseb, clandestinamente costuravam um acordo com a Telecom Italia.

É preciso ficar de olho nas datas. Em 7 de maio, a Telecom Italia recebeu os 3,25 milhões de reais sacados em nome de Naji Nahas. Em 26 de maio, Cássio Casseb, a mando de José Dirceu, encontrou-se secretamente em Lisboa com quatro representantes da Telecom Italia, para negociar o papel de cada um na Brasil Telecom, depois que Daniel Dantas fosse afastado da empresa. Duas semanas depois, houve um segundo encontro em Lisboa, que até hoje permanecia secreto. Dois dirigentes da Telecom Italia encontraram-se com Fábio Moser, Renato Sobral Pires Chaves e João Laudo de Camargo, do fundo de pensão Previ, para discutir o organograma da futura Brasil Telecom. Em particular, quem ocuparia a diretoria financeira.

Em julho de 2003, algo mudou. José Dirceu, de uma hora para outra, perdeu todo o interesse pela questão. Isso coincidiu com a reunião no hotel Blue Tree, de Brasília, entre Delúbio Soares, Marcos Valério e Carlos Rodenburg, sócio do Opportunity. Daniel Dantas, naquele período, soube cercar-se das pessoas certas. Da mesma forma que a Telecom Italia ofereceu um contrato milionário a Naji Nahas, Daniel Dantas ofereceu um contrato de 8 milhões de reais a Kakay, amigo do peito de José Dirceu, e um contrato de 1 milhão de reais a Roberto Teixeira, amigo do peito de Lula. O governo rachou ao meio. De um lado, ficou a turma de José Dirceu. Do outro, a turma de Luiz Gushiken, que continuou a batalha contra Daniel Dantas.

Em seu depoimento à CPI dos Correios, Luiz Gushiken negou que, no ministério, tenha participado ativamente da disputa pela Brasil Telecom. Acredite quem quiser. Ele teve diversos encontros secretos com os dirigentes da Telecom Italia, com o único objetivo de combinar estratégias para tirar Daniel Dantas do comando da companhia. Nos primeiros meses de 2004, Luiz Gushiken encontrou-se com Giampaolo Zambeletti, em seu gabinete. Pouco depois, ele jantou com dirigentes da Telecom Italia, na casa do publicitário Luiz Lara, para tratar do mesmo assunto. Em 2005, reuniu-se com Naji Nahas, o homem dos 3,25 milhões de reais em dinheiro vivo.

Alguns meses depois, a revista italiana *Panorama* revelou que o dinheiro retirado em nome de Naji Nahas foi entregue a deputados do PL que pertenciam à Comissão de Ciência e Tecnologia da Câmara dos Deputados. A data do pagamento é significativa: a CPI dos Correios apontou que o valerioduto teve início justamente em maio de 2003.

Os encontros de Cassio Casseb e de Luiz Gushiken com dirigentes da Telecom Italia me foram relatados por alguns de seus protagonistas e ninguém jamais os contestou.

SOU UM FRACASSO

Tirei duas semanas de folga. Fui resolver uma questão legal na Itália. Nunca atraí tanto interesse dos leitores quanto nesse período de ausência. É um fato preocupante, que põe em risco o prosseguimento de minha carreira. Minha coluna tem mais repercussão quando não é publicada do que quando é. Centenas de leitores mandaram mensagens perguntando o que havia ocorrido comigo. Colegas da imprensa também especularam sobre o real motivo de meu desaparecimento. Eu sou um fracasso. Quando apresento documentos que revelam as manobras contábeis da Telecom Italia, ninguém se dispõe a investigar se o dinheiro da empresa foi parar nas contas do PT. Quando tiro duas semanas de folga, subitamente se lembram de mim.

Quase todos os leitores suspeitaram que eu tivesse sido punido por pressão do governo. Havia um tom de revolta em suas mensagens. Um tom de rebelião armada. Jacques Pennewaert: "Isso cheira a censura, como a saída de Boris Casoy da Record." Ralf Milbradt: "*Veja* se entregou aos moicanos?" Sonia Khouzan: "O colunista foi demitido?" Fernanda Oliveira: "Finalmente Lula e seus companheiros conseguiram o impossível e mandaram Diogo para o exílio?" Maury Fonseca Bastos: "Prenderam ele?" José Lopes Germano: "Foi seqüestrado?" Respondendo-lhes: não fui censurado, não fui entregue aos moicanos, não fui demitido, não fui exilado, não fui preso, não fui seqüestrado. De fato, enquanto os leitores se preocupavam com meu destino, eu estava no Friuli, empanturrando-me alegremente de presunto cru e polenta.

Mas o verdadeiro temor dos leitores não era relacionado ao meu futuro. Eles estão se lixando para o que acontece comigo. Eu represento apenas um interesse circunstancial. Quem melhor resumiu esse estado de espírito foi minha admiradora Claudia Zuppani. Ela mandou a seguinte mensagem a *Veja*: "Gostaria de saber por que a coluna de Diogo Mainardi não foi publicada nesta semana. Espero sinceramente que ele esteja doente." Ou seja: não importa se estou num leito de hospital, com tuberculose, cuspindo sangue, delirante, à beira da morte. Para ela, o que importa é que eu possa continuar a falar mal do Lula. Embora seja um golpe brutal contra meu amor-próprio, sou obrigado a reconhecer que minha admiradora está absolutamente certa. É preciso tomar cuidado com os impulsos autoritários dos lulistas. Eles sempre tentarão calar os outros, estando ou não no governo. Em 2002, Lula foi eleito com uma plataforma de pacificador social. Em 2006, só lhe resta a surradíssima bandeira revanchista, de confronto entre pobres e ricos, entre bons e maus. Nesse confronto, a liberdade de opinião será associada aos maus.

Quanto a mim, recomendo que os leitores não me vejam como um perseguido. Eu sou o exato contrário disso. Eu sou o testemunho perfeito de que achincalhar o governo é fácil, divertido e altamente lucrativo. E agora chega, porque tenho de ir à praia.

O assunto a que dediquei maior número de colunas não foi Lula — foi a falta de apetite para derrubá-lo.

OMERTÀ BRASILEIRA

Continuo na mesma. Continuo tentando derrubar Lula. O assunto já ficou velho. Mas não consegui encontrar outro melhor. Lula é meu Moby Dick. Lula é minha Lolita. Lula é meu rato Ignatz.

Há quem prefira que Lula perca nas urnas. Não me animo com essa possibilidade. Uma derrota nas urnas, por mais esmagadora que fosse, não teria aquele caráter de exemplaridade que a abertura de um processo criminal contra ele poderia ter. Por isso não acompanho com muito interesse o resultado das pesquisas de opinião. Eu não sou cabo eleitoral de ninguém. Lula pode ganhar ou perder em outubro. Para mim, dá mais ou menos na mesma. Lula não é o primeiro e certamente não será o último espertalhão a conquistar o poder. Bem mais útil do que derrotá-lo no voto seria desmontar alguns dos esquemas clandestinos que o beneficiaram nos últimos anos.

Lula alega que não há documentos que o incriminem diretamente. Ele está certo. Eu diria o mesmo se estivesse em seu lugar. Esse é um dos pontos mais inquietantes sobre a crise do mensalão: faltam documentos. Não me refiro aos que circularam nas CPIs, como relatórios do Coaf ou quebras de sigilo bancário. CPIs são inúteis porque os políticos sempre acabam protegendo uns aos outros. Refiro-me a documentos fornecidos por gente comum, como a agenda da secretária de Marcos Valério, Fernanda Karina Somaggio. Quantas foram as secretárias que testemunharam crimes cometidos por seus empregadores e escolheram calar a boca? Quantos foram os pilotos de jato particular que transportaram malas de dinheiro e preferiram ficar na moita? Quantos foram os assessores parlamentares que negociaram com doleiros e não denunciaram seus chefes? Quantos foram os contínuos que receberam ordens para destruir papéis comprometedores? Quantos foram os diretores financeiros que falsificaram balancetes de suas empresas para desviar recursos para os partidos?

Estou seguindo, neste momento, quatro histórias sobre Lula. Uma mais entusiasmante do que a outra. Mas há muito mais material explosivo dando sopa por aí. Bastaria que as pessoas se dispusessem a compartilhá-lo. Nos Estados Unidos, inúmeros *sites* dependem apenas disto: da qualidade dos documentos desencavados pelos internautas. No Brasil, algo assim jamais funcionaria. Ninguém cede espontaneamente cartas, fotografias, contratos, recibos, reservas de hotel, passagens aéreas, extratos bancários, ordens de pagamento e outros documentos que envolvam autoridades. Os brasileiros ainda não foram tomados pelo espírito do parajornalismo. Nosso negócio é o acobertamento. Nosso negócio é a cumplicidade. O mesmo código do silêncio que vigora nas favelas dominadas por traficantes vigora também nos gabinetes e escritórios.

De qualquer maneira, não custa tentar: se alguém aí tem documentos contra Lula, ou contra qualquer outro candidato a cargo público, e se eles forem verdadeiros, remeta-os a *Veja*, em meu nome. Continuo aqui, na mesma.

O RETRATO DO NOSSO FRACASSO

Uns países dão certo. Outros não. O Brasil pertence à segunda categoria. Tome-se o professor Luizinho. Ele é o retrato do nosso fracasso. O sinal de que a gente se danou. Nunca mais vamos nos recuperar do espetáculo oferecido ao Congresso Nacional, na última quarta-feira, com o professor Luizinho saltitante, comemorando seu indulto. É um trauma que jamais poderá ser superado. Daqui a trinta ou quarenta anos, quando a economia iraquiana finalmente ultrapassar a brasileira, alguém se lembrará de citar seu caso.

Não digo isso pelo professor Luizinho em si. Há professores Luizinho espalhados em todos os cantos do mundo. Tudo bem: um pouco menos pitorescos. Tudo bem: um pouco menos grotescos. Mas há. Há um professor Luizinho no Nebraska. Há um professor Luizinho no Hamas. Há um professor Luizinho no gabinete do ministro dos Transportes ucraniano, que acaba de ser descoberto embolsando uma propina equivalente a 30 mil reais. Ninguém está a salvo dos professores Luizinho, dos Roberto Brant, dos Eduardo Azeredo. O que muda de lugar para lugar é apenas o jeito de lidar com eles.

Eu sei que em tempos de populismo rasteiro não pega bem afirmar algo assim, mas o voto popular não é necessariamente o melhor método para escolher nossos governantes. Eu não escolheria Lula, por exemplo, nem para abrir e fechar o portão da garagem do meu prédio. O seu José é melhor. É mais eficiente. É mais honesto. O eleitor erra. Quase sempre. Em todos os lugares. O que torna a democracia incomparavelmente superior a todos os outros sistemas não é o método de escolha dos governantes, e sim a possibilidade que ela dá de nos livrarmos deles. Um professor Luizinho pode embolsar 30 mil reais, mas uma democracia sempre irá dispor de mecanismos para puni-lo. Quando esses mecanismos deixam de funcionar, a democracia não serve para mais nada. Ela perde o sentido. Foi exatamente o que aconteceu conosco. O país poderia ter dado certo. Não deu. Pena.

O importante é não se abater com isso. Eu não me abato. Tenho uma receita. Ninguém é tão patologicamente impermeável à realidade quanto eu. Imite o mestre. Minha regra é muito simples: nunca me distancio mais de oitocentos metros de casa, para um lado ou para o outro. Pouco tempo atrás, eu disse que pagaria para não ter de ir a Cuiabá, mas o fato é que acabei criando minha própria Cuiabá, aqui no Rio de Janeiro. Meu contato com o resto do país é limitado ao que me é mais familiar. Uns quarteirões para cá, uns quarteirões para lá. Recorro também a uma rotina excepcionalmente rígida. De manhã, leio os jornais e as mensagens das "Mainardetes do Orkut". Trata-se de uma página na internet em que algumas leitoras reclamam do meu corte de cabelo. À tarde, levo meu filho mais velho à escola, brinco com o mais novo, penso distraidamente num assunto para a coluna, tiro um cochilo, vou buscar meu filho na escola. Todos os dias, no mesmo horário, o professor Luizinho toca insistentemente a campainha de casa. Eu não abro a porta.

ATEAR FOGO NO PSDB

O PSDB tinha dois candidatos. Um deles, segundo a última pesquisa do Ibope, estava empatado com Lula. O outro, perdia no primeiro turno. O escolhido foi o que perdia no primeiro turno.

Para quem está empenhado apenas em se livrar de Lula, como eu, e não dá a mínima para a disputa interna dos tucanos, o resultado não poderia ser pior. Pensei em atear fogo à sede do PSDB. Procurei seis ou sete pessoas para perguntar onde ficava o partido e acabei encontrando, meio por acaso, a caixa-preta do desastre peessedebista, que me permitiu reconstruir os eventos dos últimos dias.

Aécio Neves deu um baile nos figurões do PSDB. Do Canadá, onde foi passar férias, telefonava a José Serra para garantir-lhe seu apoio, ao mesmo tempo que telefonava a Geraldo Alckmin, aconselhando-o a exigir prévias para a escolha do candidato. Em público, Aécio Neves assegurava que nada estava decidido. Em particular, desde a quinta-feira da semana anterior, ligava para seus amigos na imprensa e plantava a notícia de que Geraldo Alckmin havia sido escolhido. Aécio Neves sabe exatamente o que quer: eleger-se presidente em 2010, quando Furnas estará esquecida. O melhor caminho para ele é a derrota de Geraldo Alckmin contra Lula.

Marconi Perillo e José Anibal atuaram juntos arregimentando governadores e parlamentares do PSDB para a campanha de Geraldo Alckmin. O primeiro ganhou a promessa de um ministério. O segundo, que conta com a simpatia das empreiteiras responsáveis pelas obras do metrô paulistano, poderá concorrer ao governo estadual. Um dos homens de José Anibal no Congresso Nacional é o deputado Carlos Sampaio. Ele foi o autor do parecer que, nesta semana, absolveu Pedro Henry, acusado de ser um dos maiores operadores do mensalão.

Tasso Jereissati, nos primeiros tempos, sustentou a candidatura de Geraldo Alckmin. Quando percebeu que ele não tinha muita possibilidade de ser eleito, debandou para o lado de José Serra. Na última hora, voltou atrás novamente, liberando a tropa cearense para apoiar Geraldo Alckmin.

Fernando Henrique Cardoso, algumas horas antes que o partido anunciasse sua escolha, telefonou ao diretor do Ibope, Carlos Montenegro. Ele queria saber se, na pesquisa que seria divulgada no dia seguinte, José Serra realmente apareceria empatado com Lula. Carlos Montenegro negou. Enganado por seu informante, Fernando Henrique recomendou a José Serra que desistisse da disputa. Foi o que aconteceu. José Serra se acovardou. Fugiu da raia. Deu no pé.

Eu sei que não há nada mais inútil e aborrecido do que reportagens bisbilhoteiras que contam os bastidores da política. O melhor é ficar longe dos políticos. Quanto mais longe, melhor. Mas as estripulias do PSDB ajudam a entender o que ocorreu no país no último ano: por que a roubalheira não foi investigada a fundo, por que a maioria dos mensaleiros ficou impune, por que Lula ainda está no poder.

Continuo pensando em atear fogo à sede do PSDB.

No fim de março, veio à tona o caso Francenildo, criando uma nova oportunidade para enfiar uns lulistas na cadeia.

MARCELO NETTO, MARCELO NETTO

Marcelo Netto. O nome dele é Marcelo Netto. Repetindo: Marcelo Netto, Marcelo Netto, Marcelo Netto, Marcelo Netto.

Os jornais passaram a semana inteira tentando descobrir quem violou o sigilo bancário do caseiro Francenildo Costa. Está certo. Precisamos de uma resposta urgente. Os mandantes do crime — todos eles — devem ser exemplarmente punidos. Com demissão. Com cadeia. Com tomatadas e ovadas no cocuruto. É uma questão fundamental para o país. Pena que eu não seja a pessoa mais indicada para tratar de questões fundamentais. Pelo contrário. Meu negócio são as questões menores. E, no caso, há uma questão menor que, por dias e dias, os jornais preferiram escamotear: o nome de quem passou à imprensa o extrato bancário do caseiro. Em todas as reportagens publicadas ao longo da semana, sua identidade foi cuidadosamente resguardada pelos jornalistas, sempre com a mesma fórmula. "Quem deu publicidade aos dados bancários do caseiro foi um assessor de Palocci." Ou: "Na quinta-feira, os dados teriam sido encaminhados a um assessor especial do ministro." Ou: "Na sexta-feira, um assessor do Ministério da Fazenda já difundia a suspeita de que o caseiro poderia ter recebido dinheiro para acusar Palocci." Ou: "Naquela mesma noite, cópias do extrato do caseiro circularam junto aos assessores do ministro." Ou: "Uma fonte mantida no anonimato passou a dois jornalistas de *Época* o extrato de sua conta bancária."

Quem difundiu o extrato bancário do caseiro foi o assessor de imprensa de Palocci, Marcelo Netto. Desde a semana passada, todos os jornalistas sabiam disso. Mas nenhum se animou a denunciá-lo. Marcelo Netto é jornalista. E jornalistas não denunciam jornalistas. Exatamente da mesma maneira como deputados não cassam deputados. O escandaloso acobertamento do nome de Marcelo Netto, porém, foi muito mais do que um simples ato de canalhice ou de coleguismo — foi prejudicial ao próprio trabalho da imprensa. Marcelo Netto tem de ser investigado a fundo. Ele pode explicar a origem dos dados sigilosos sobre o caseiro. Ele pode explicar quando Lula foi informado sobre o caso, se antes ou depois de ser veiculado pela imprensa. Ele pode explicar, por fim, o caminho que o extrato bancário tomou a partir do momento em que foi parar em suas mãos. Um dos filhos de Marcelo Netto, Matheus Leitão, é repórter da *Época*. O chefe da sucursal da revista em Brasília, Gustavo Krieger, mandou-o correr atrás do material sobre o caseiro. Ele correu. E a *Época* o publicou. O episódio é ilustrativo dos esquemas de aliciamento, apadrinhamento e cumplicidade do petismo. Um protege o outro. Um defende o outro. Um conluia com o outro. Um contrabandeia mercadoria ilícita para o outro. Toda essa história surgiu porque o caseiro Francenildo Costa não sabia quem era seu pai. O jornalista Matheus Leitão sabe perfeitamente quem é o seu. É Marcelo Netto. Repetindo: Marcelo Netto, Marcelo Netto, Marcelo Netto, Marcelo Netto.

HH RESPONDE

Pedi uma entrevista a Heloísa Helena. Ela disse que responderia por escrito. Mandei-lhe algumas perguntas. Não entendi direito o que ela respondeu.

No ano passado, Heloísa Helena encontrou-se com a cafetina Jeany Mary Corner. Eu quis saber por que ela nunca revelou detalhes sobre o que foi discutido naquele encontro. Recebi a seguinte resposta:

> *Talvez um dia possamos melhor estudar o caráter político-escatológico de certos homenzinhos corruptos, ordinários e pusilânimes. O que deixei claro é que minhas obrigações constitucionais exigem investigar orgias sexuais com dinheiro público roubado e portanto a promiscuidade do público com o privado (aqui nos dois sentidos: orgias para "adoçar" os crimes contra a administração pública e potencializar que no mesmo espaço geográfico houvesse tráfico de influência, intermediação de interesse privado, exploração de prestígio, corrupção ativa e passiva e a exploração das filhas da classe trabalhadora pela prostituição e drogas!!).*

Um homem público pode freqüentar prostitutas. Os brasileiros são permissivos e aceitam esse tipo de comportamento. O que não dá para admitir é que as prostitutas sejam pagas por lobistas. Especialmente se os lobistas são acusados de desviar verbas de prefeituras para seu partido. Isso é propina. Os lobistas de Ribeirão Preto não ofereciam apenas dinheiro. Eles ofereciam Naila, Renata, Juliana. E tortas de camarão. E frascos de perfume Obsession. Perguntei a Heloísa Helena se, de acordo com Jeany Mary Corner, os lobistas de Ribeirão Preto pagavam as despesas com prostitutas das autoridades do governo. Ela me respondeu, com seu estilo característico:

É fato que todas as despesas (todas!!) do ex-ministro da Fazenda na "casa" eram pagas pelo senhor Rogério Buratti. Portanto laços pessoais permanentes e íntimos com Buratti, Poletto, Ademirson, Palloci e outros governistas, mostrando claramente a promiscuidade público-privado e a associação criminosa das excelências delinqüentes.

Jeany Mary Corner confidenciou a mais de um jornalista que suas meninas participaram de uma festa na Granja do Torto. Perguntei a Heloísa Helena se a cafetina lhe relatou essa história. Perguntei também se a festa foi bancada pelos lobistas de Ribeirão Preto.

Jeany nunca me falou sobre a Granja do Torto... se tivesse dito eu relataria. Até porque na minha modesta análise o pior deles é o Lula... típico mel na boca e bílis no coração... abraça sorrindo e esfaqueia pelas costas!!

Insinuei que Heloísa Helena estava com medo de contar tudo o que sabia. Ela respondeu:

MEDO??? EU???... devo rir dessa declaração... com todo respeito mesmo!!

E acrescentou:

Obs. importante: acaso o senhor utilize algumas das minhas frases solicito que o faça como sendo meus pronunciamentos no plenário e não correspondência encaminhada!!

Eu minto pessimamente, senadora.

FESTA NA GRANJA

Jeany Mary Corner mandou suas garotas de programa para uma festinha na Granja do Torto. Foi o que ela declarou, em diferentes ocasiões, a dois jornalistas. Os dois jornalistas estão dispostos a confirmar o depoimento da cafetina, a qualquer hora e em qualquer lugar.

O fato teria ocorrido, segundo Jeany Mary Corner, em 18 de junho de 2003. Tudo fora preparado para receber o presidente. Os guardas da Granja do Torto haviam sido alertados de que naquela noite, excepcionalmente, deveriam permitir a entrada na propriedade de uma *van* com vidros escuros. Dentro da *van* estariam as garotas de programa. Jeany Mary Corner não informou aos jornalistas quantas elas eram. Nem seus nomes de guerra. Nem, mais importante, quem iria pagar a conta. O que ela disse foi que, a certa altura, a festinha teve de ser suspensa porque o presidente Lula recebeu a notícia de que o guarda-costas de seu filho havia sido baleado no ABC paulista, durante uma tentativa de assalto.

Jeany Mary Corner contou essa mesma história a um terceiro jornalista. Como os outros dois, ele pode confirmá-la. Ele pode confirmar também o que aconteceu algum tempo depois. Os advogados de Jeany Mary Corner levaram o assunto a representantes do governo e exigiram o pagamento de uma soma em dinheiro para que ela, entre outras coisas, permanecesse calada a respeito da festinha na Granja do Torto. O achaque de Jeany Mary Corner deu certo: rendeu-lhe pelo menos 50 mil reais.

Pode ser que a cafetina tenha mentido aos jornalistas. Pode ser que ela tenha inventado o episódio da Granja do Torto apenas para exercer pressão sobre o governo. O fato é que, por um certo período, antes que seus advogados se acertassem com os emissários dos ministérios, ela repetiu o relato, exatamente com os mesmos detalhes, a uma série de testemunhas. Hoje em dia, Jeany Mary Corner se recusa a discutir a questão com estranhos. Ela nega que suas garotas de programa tenham participado de uma festinha na Granja do Torto. Ela nega que seus advogados tenham tratado do assunto com integrantes do governo. Ela nega que tenha falado sobre o episódio com jornalistas. Jeany Mary Corner já não abre mais o bico. Ela está, conforme suas palavras, "cansada disso tudo".

Os lobistas de Ribeirão Preto, reunidos em torno de Rogério Buratti, estavam entre os melhores clientes de Jeany Mary Corner. Como admitiu o próprio Buratti, eles ofereciam garotas de programa aos políticos. Não há nada de escandaloso em investigar se o episódio da Granja do Torto tem algo a ver com isso. Especialmente porque ocorreu, de acordo com a cafetina, apenas dois meses depois que Buratti intermediou os contatos entre o governo e a GTech, prometendo uma propina milionária ao PT.

Os brasileiros sempre respeitaram a vida pessoal dos políticos. Chegou a hora de mudar. Os políticos só nos aborrecem. Então vamos tentar tirar algum divertimento deles importunando-os até na cama.

O caso Francenildo me incentivou a retomar o tema da cumplicidade entre setores da imprensa e Lula.

JORNALISTAS SÃO BRASILEIROS

Franklin Martins é o principal comentarista político da Rede Globo. Um de seus irmãos, Victor Martins, foi nomeado para uma diretoria da Agência Nacional do Petróleo. Os senadores que aprovaram seu nome levaram em conta o parentesco ilustre. Luiz Otávio, do PMDB, comentou: "Os 42 votos favoráveis a Victor Martins são uma homenagem nossa ao jornalista Franklin Martins." Heráclito Fortes, do PFL, concordou: "Ele acrescenta à sua biografia o fato de ser irmão de um grande jornalista." Aloizio Mercadante, do PT, arrematou: "Victor Martins é um profissional competente e vem de uma família marcada pelo processo de resistência democrática." Lula entregou a Agência Nacional do Petróleo ao PCdoB. Victor Martins não obteve o cargo através do partido. Ele parece ter sido indicado sobretudo graças ao seu irmão, Franklin Martins. Ivanisa Teitelroit, mulher de Franklin Martins, também já mereceu sua parcela de cargos públicos. Deve ser a isso que Aloizio Mercadante se refere quando fala em "resistência democrática".

Nas últimas semanas, a imprensa tem se dedicado a analisar a frouxidão moral dos brasileiros. Está certo. Os brasileiros são moralmente frouxos mesmo. Isso ninguém discute. Mas a imprensa certamente não é muito melhor. Franklin Martins não representa o único caso de promiscuidade entre jornalistas e poder político. Pelo contrário. Há exemplos semelhantes em todas as partes. Recentemente, Helena Chagas, chefe da sucursal de *O Globo* em Brasília, foi flagrada tramando com Antonio Palocci um esquema para desmascarar o caseiro Francenildo Costa. O marido de Helena Chagas, Bernardo Felipe Estellita, é servidor concursado da Câmara dos Deputados e intimamente ligado ao PT. Nos dias que antecederam a quebra do sigilo do caseiro, ele foi visto circulando pelo Ministério da Fazenda. Por outro lado, a irmã de Helena Chagas, Cláudia Chagas, foi indicada por Márcio Thomaz Bastos para o cargo de secretária nacional de Justiça. Uma de suas responsabilidades é rastrear o dinheiro do valerioduto remetido ilegalmente para o exterior. Inclusive o que abasteceu a campanha de Lula.

Não é só no PT que isso acontece. Eliane Cantanhêde, chefe da sucursal de Brasília da *Folha de S. Paulo*, é mulher de Gilnei Rampazzo, um dos donos da GW, a produtora que cuidou das últimas campanhas eleitorais de Geraldo Alckmin e de José Serra. Gilnei Rampazzo é sócio de Luiz Gonzales, o marqueteiro escolhido pelo PSDB para coordenar a campanha presidencial de Geraldo Alckmin. Ele foi acusado pela *Folha de S. Paulo* de participar de um esquema de desvio de recursos da Nossa Caixa. Deve estar a maior confusão na casa de Eliane Cantanhêde. Lula Costa Pinto é outro jornalista confuso. Ex-jornalista. Ele é genro do ex-deputado Paes de Andrade e concunhado de Eunício Oliveira, ex-ministro das Comunicações. Lula Costa Pinto também se beneficiou de desvio de dinheiro público quando era assessor do deputado petista João Paulo Cunha.

Os brasileiros são moralmente frouxos. Os jornalistas são brasileiros.

Franklin Martins respondeu-me com uma cartinha desaforada. Ele negava categoricamente que sua mulher tivesse um cargo comissionado no governo. Na semana seguinte, publiquei os dados da nomeação dela para o gabinete do líder do governo no Senado, Aloizio Mercadante.

FRANKLIN, O CONCEITUADO

No último dia 18, o presidente Lula encaminhou aos senadores a mensagem número 115/06, prorrogando por quatro anos o mandato do irmão de Franklin Martins na ANP. No mesmo dia 18, Franklin Martins anunciou que me processaria por causa da coluna da semana passada, em que citei seu caso para demonstrar a promiscuidade entre jornalistas e políticos.

Franklin Martins alega que seu irmão foi nomeado pelo presidente Lula porque é um "profissional conceituado na área do petróleo". É exatamente o mesmo argumento usado por todos os responsáveis pelo aparelhamento petista: contrataram apenas profissionais conceituados. Eu acredito tanto na palavra de Franklin Martins quanto na de seu companheiro José Dirceu.

Franklin Martins me desafiou a apresentar um único senador que tenha sido pressionado por ele para favorecer seu irmão. Eu sei que Franklin Martins jamais pediu algo a um senador. Eu sei também que muitos parlamentares jamais pediram o mensalão. Foi-lhes oferecido. Eles simplesmente aceitaram.

O Globo noticiou que o irmão de Franklin Martins foi indicado à ANP pelo governador Paulo Hartung, de quem ele seria "afilhado político". Paulo Hartung tem outro "afilhado político" na mesma família. Trata-se da irmã de Franklin Martins, Maria Paula. Ela foi licenciada pela ministra Dilma Rousseff para assumir a diretoria-geral da Aspe, a estatal capixaba que regula o setor do gás. A Aspe é ligada à ANP. Ou seja, o irmão de Franklin Martins trata com a irmã de Franklin Martins. É muito "profissional conceituado" para uma família só.

Em 1997, os diretores de *O Globo*, seguindo as normas internas do jornal, afastaram Franklin Martins da sucursal de

Brasília porque descobriram que sua mulher, a psicanalista Ivanisa Teitelroit, arranjara um emprego no gabinete do líder tucano José Anibal. Quase uma década depois, Franklin Martins ainda não conseguiu entender o que há de errado nisso. Tanto que, no atual governo, sua mulher foi nomeada para o cargo de secretária parlamentar do líder petista Aloizio Mercadante, de acordo com o processo número 004884/05-1. Ivanisa Teitelroit não está mais no gabinete de Aloizio Mercadante. Ela agora trabalha numa subsecretaria do Ministério do Planejamento, na sala 207, 2º andar. Mudaram os patrões, mas a prática continuou igual.

Nas últimas semanas, o que mais se comentou no meio jornalístico foi que Franklin Martins teria integrado o comando que quebrou o sigilo do caseiro Francenildo Costa. É nisso que dá empregar familiares no governo.

Jornalistas não estão acostumados a prestar contas a ninguém. Franklin Martins reagiu de modo claramente desequilibrado ao meu artigo. Chamou-me de "difamador", "leviano", "anão de jardim", "doidivanas", "bufão", "caluniador", "tolo enfatuado" e "bobo da corte". De todos os insultos, só não aceito o último. Quem pertence à corte é ele, que tem o irmão nomeado diretamente pelo presidente da República. Menos adjetivos, jornalista Franklin Martins, e mais fatos.

Franklin Martins não se limita a pertencer à corte: é um súdito fiel. Em seu manifesto contra mim, ele reconhece que tenho o direito de pedir o *impeachment* de Lula, mas acrescenta que "não posso ficar amuado se alguém, por isso, chamar-me de golpista". Eu não fico amuado. Pode me chamar de golpista, Franklin Martins. Pode me chamar do que quiser. Eu não sou um "profissional conceituado" da área do jornalismo.

Franklin Martins foi afastado da Rede Globo. Em 2007, Lula nomeou-o ministro da Comunicação Social. Apesar disso, ele me processou.

PEDI O *IMPEACHMENT* DE LULA

Para o presidente da CUT, "falar em *impeachment* do Lula é loucura". De acordo com ele, só um "tresloucado do neoliberalismo" poderia propor algo assim. Mais ainda: só um "golpista", só um "udenista".

Os petistas sempre se referem a mim como neoliberal, golpista e udenista. Como eu não gosto de decepcionar ninguém, sobretudo os membros da classe trabalhadora, decidi cumprir meu papel e, na última sexta-feira, encaminhei ao Congresso Nacional um pedido de *impeachment*. O correio prometeu entregá-lo na segunda-feira.

O presidente da CUT, em sua entrevista ao *blog* Nos Bastidores do Poder, disse que não dá para entrar com um pedido de *impeachment* como quem "compra rabanete na feira". Dá sim. Eu não sei escolher um rabanete. Por outro lado, sei o que esperar de um presidente. Lula é um mau rabanete.

Compreendo perfeitamente que o presidente da CUT repudie o *impeachment*. Eu faria o mesmo em seu lugar. Lula foi um dos fundadores da entidade. E dos onze mensaleiros petistas denunciados pelo procurador-geral da República nove eram da CUT, assim como muitos outros que não constam de sua lista, como Paulo Okamotto, Marcelo Sereno e Waldomiro Diniz.

O presidente da CUT avisou que, caso o pedido de *impeachment* prospere, movimentos sociais como CUT, UNE e MST tomarão as ruas em defesa do mandato de Lula. Duvido. Ninguém foi às ruas para pedir o *impeachment*. Mas ninguém irá protestar contra ele. O máximo que pode acontecer é que um punhado de arruaceiros quebre uma ou outra vitrine. Ou seja, nada que umas cacetadas no cocuruto não resolvam.

Por mais que os petistas alardeiem o contrário, o Brasil é excepcionalmente carente em matéria de neoliberais, golpistas e udenistas. Tanto que, em toda a crise do mensalão, de julho do ano passado até agora, só nove tresloucados apresentaram pedidos de *impeachment* contra Lula. Os oito primeiros pedidos já foram sumariamente arquivados pelo presidente da Câmara dos Deputados. O último ainda está em fase de análise.

Como meu pedido também será arquivado, não perdi muito tempo com ele. Limitei-me a copiar o pedido de *impeachment* de Fernando Collor de Mello. Mantive todos os seus trechos mais enfadonhos, como as referências ao padre Manuel Bernardes e a Cícero. Deputados e senadores apreciam documentos com referências ao padre Manuel Bernardes e a Cícero.

Os autores do pedido de *impeachment* de Collor foram Barbosa Lima Sobrinho e Marcello Lavenère. Eu teria deixado seus nomes no pedido de *impeachment* de Lula. Mas Barbosa Lima Sobrinho morreu. E Marcello Lavenère está comodamente instalado no governo Lula. Ele é presidente da Comissão de Anistia. Outro dia, deu 100 mil reais de aposentadoria a José Genoino, um dos onze petistas denunciados pelo procurador-geral da República.

Marcello Lavenère, na época do *impeachment* de Collor, era presidente da OAB. Na semana que vem, a OAB deverá decidir se entra ou não com um pedido semelhante contra Lula. O consenso é que não há clima político no país para um pedido de *impeachment*. Na verdade, não há clima nem para comprar rabanetes.

Em várias oportunidades, chamei a atenção para o investimento publicitário do governo em veículos alinhados com seus interesses.

O MENSALÃO DA IMPRENSA

O mensalão não é só para deputados. Há também o mensalão da imprensa. No último número da revista *Carta Capital,* quase 70% dos anúncios eram do governo federal. Lula sempre soube remunerar direito seus aliados. *Carta Capital* é o João Paulo Cunha dos semanários. O José Janene. O Valdemar Costa Neto.

Lula, dois anos atrás, elogiou publicamente *Carta Capital.* Para ele, a revista não praticava "o denuncismo pelo denuncismo" porque "não se preocupava com o mercado". Quem conta com 70% de publicidade do Banco do Brasil, da Petrobras e da Caixa Econômica Federal realmente pode ignorar o mercado e os leitores.

Carta Capital é de Mino Carta. No fim do ano passado, ele publicou uma longa entrevista com Lula, e retribuiu os elogios do presidente, exaltando seus maiores atributos, como "Q.I. alto, bravura, carisma, belos propósitos, bom humor e ironia".

Mino Carta costumava se referir a Lula em outros termos. Em 1994, entrevistado pela revista *Interview,* ele declarou o seguinte:

> *O principal defeito de Lula é a laborfobia. Lula não é suficientemente aplicado. Ele teve tempo para aprender algumas coisas e não o fez. Por exemplo, a falar melhor, a organizar seu raciocínio de forma sintaticamente mais consistente. Isso teria implicado leituras, estudo. Mas, a julgar pelo Lula que está aí*

hoje, ele não se aplicou. O melhor mesmo para ele é bater uma caixa no bar da esquina tomando uma pinga com cambuci.

Mino Carta se aproximou de Lula apenas na campanha eleitoral de 2002, por meio do consultor Antoninho Marmo Trevisan. O mesmo Trevisan que intermediou a venda da empresa do filho de Lula à Telemar. O mesmo Trevisan que foi contratado para sanear as contas do PT. O mesmo Trevisan que prestou assessoria à CUT. O mesmo Trevisan que repassou trabalhos aos sócios de Luiz Gushiken. O mesmo Trevisan que selecionou o banco BMG para oferecer o crédito consignado.

Carta Capital tem praticamente a mesma tiragem que a revista do acupunturista de Geraldo Alckmin, mas seu peso político é muito maior, assim como seu faturamento publicitário. Os anúncios das estatais deram o resultado esperado. No último ano, *Carta Capital* tentou ajudar a aplacar a crise. Uma de suas estratégias, seguida por todos os blogueiros lulistas, foi acompanhar o termo "mensalão" por alguma atenuante como "suposto", "pretenso", "enredo embolorado", "jogo sujo", "denúncia frágil" e "sem provas cabais".

O melhor argumento que os lulistas encontraram para desmentir o mensalão também apareceu em *Carta Capital,* numa entrevista de Wanderley Guilherme dos Santos. Ele disse: "É uma denúncia genérica. Há pagamentos mensais feitos pelo tesoureiro do partido etc. etc." Gilberto Gil, algumas semanas depois, sempre em *Carta Capital,* adotou o mesmo bordão: "Mensalão, caixa dois etc. são da prática do mundo." Os etc. etc. dos lulistas encobrem mais da metade do Código Penal.

Lula venceu. O mensalão dos deputados e da imprensa foi esquecido. O que resta agora aos leitores é bater uma caixa no bar da esquina tomando uma pinga com cambuci.

Em 17 de maio, *Veja* publicou uma reportagem de Marcio Aith sobre as contas em paraísos fiscais que, segundo um agente da Kroll contratado por Daniel Dantas, pertenceriam a Lula, José Dirceu, Márcio Thomaz Bastos, Luiz Gushiken, Antonio Palocci, Romeu Tuma e Paulo Lacerda.

Na mesma semana, entrevistei Daniel Dantas sobre outra denúncia.

ENTREVISTA COM DANTAS

Daniel Dantas não fala. Para quem não fala, até que ele falou muito. O suficiente para mandar um monte de gente para a forca. Em primeiro lugar, Lula e seus ministros.

Passei quatro horas no escritório de Daniel Dantas, no Rio. No fim, arranquei dele meia hora de entrevista. Vale sobretudo como registro histórico. Lendo com cuidado, dá para ver o instante exato em que o Brasil acabou.

— *O PT pediu propina ao Opportunity?*

— O que houve foi uma sugestão de que, se déssemos uma quantia expressiva ao partido, eles poderiam nos ajudar a resolver as dificuldades que estávamos tendo com o governo.

— *Então foi pior do que propina: foi extorsão. Quem pediu o dinheiro?*

— Delúbio Soares.

— *Qual a quantia?*

— Entre 40 e 50 milhões de dólares. Era a necessidade de recursos que eles tinham. E Delúbio queria saber se poderíamos ajudá-los.

— *A quem foi feito o pedido?*

— A Carlos Rodenburg, que na época *(julho de 2003)* trabalhava conosco.

— *Marcos Valério participou do encontro?*

— Foi ele que marcou. Mas não estava presente quando foi feito o pedido.

— *Você pagou os 50 milhões de dólares?*

— Perguntei ao meu advogado, Nélio Machado, se o pagamento seria ilegal ou não. Ele respondeu que isso é tipificado no artigo 316 do Código Penal, e que não estaríamos incorrendo em crime algum.

— *Porque era uma extorsão?*

— Não é exatamente esse o termo.

— *O que aconteceu depois?*

— Eu marquei uma reunião com o Citibank em Nova York e expliquei à diretora Mary Lynn que, se contribuíssemos com uma quantia muito grande para o PT, talvez nossas dificuldades cessassem, mas acrescentei que não era essa a minha expectativa. Ela me autorizou a dizer, em nome do Citi, que não seria possível pagar, porque isso contrariaria a lei americana.

— *Esse foi o primeiro pedido de dinheiro do PT ao Opportunity?*

— Durante a campanha presidencial de 2002, Ivan Guimarães foi ao nosso escritório e entregou um *kit* do partido ao Carlos Rodenburg, com o objetivo de conseguir algum apoio financeiro. Rodenburg mandou devolver o *kit*, porque não sabia quem era Ivan Guimarães. Isso foi interpretado pelo PT como um ato hostil, mas nós éramos politicamente neutros e não tínhamos nada contra o partido.

— Por que o governo queria tirar o Opportunity do comando da Brasil Telecom?

— Porque havia um acordo entre o PT e a Telemar para tomar os ativos da telecomunicação, em troca de dinheiro de campanha.

— A Telemar acabou comprando a empresa do Lulinha. Por que vocês também negociaram com ele? Era um agrado ao presidente Lula?

— Nós procuramos de todas as maneiras diminuir a hostilidade do governo.

— O ex-presidente do Banco do Brasil Cássio Casseb disse ao Citibank que Lula odeia você.

— Casseb disse também que ou a gente entregava o controle da companhia ou o governo iria passar por cima.

— Lula se reuniu com a diretoria do Citibank. Ele pressionou os americanos a trair o Opportunity e fechar um acordo com os fundos de pensão?

— Não posso comentar nenhuma notícia que eu tenha obtido através dos documentos que constam do processo em Nova York.

— Você confirma que a Brasil Telecom só conseguiu ter acesso ao dinheiro do BNDES depois de contratar o advogado Kakay, amigo de José Dirceu?

— Houve uma sincronia entre os fatos.

Agora releia a entrevista. Mas sabendo o seguinte: Daniel Dantas cedeu aos achacadores petistas. Ele e muitos outros.

O ministro da Justiça, Márcio Thomaz Bastos, reuniu-se secretamente com Daniel Dantas três dias depois da publicação da matéria sobre as contas de hierarcas lulistas em paraísos fiscais. Interpretei o fato como uma evidência de que os dados apresentados pelo agente da Kroll não eram tão fajutos assim, como a imprensa se apressou em declarar.

Lula evitou mencionar o nome de Daniel Dantas. Preferiu atacar quem redigiu a matéria e quem a publicou.

XINGAMENTOS DE LULA

Um espião da Kroll, contratado por Daniel Dantas, atribuiu a Lula uma conta num paraíso fiscal. Lula se descontrolou. Partiu para o insulto. Não contra Daniel Dantas, que o espionou, e sim contra *Veja*, que noticiou o fato. O presidente sabe que sempre dá para negociar com Daniel Dantas. Com *Veja* não dá.

Lula disse que "a *Veja* tem alguns jornalistas que estão merecendo o prêmio Nobel de irresponsabilidade". Ele disse também que na revista não há "uma única pessoa que tenha 10% de sua dignidade e honestidade". Lula acrescentou que todos sabiam a que jornalista ele se referia, pelo que "ele tem feito nesses últimos meses". E concluiu: "Quem escreve uma matéria daquela é bandido, mau-caráter, malfeitor, mentiroso."

O autor da matéria sobre Daniel Dantas é Márcio Aith. Em 2004, na *Folha,* ele revelou a primeira parte do relatório Kroll. Na semana passada, em *Veja*, ele deu outro furo, revelando a segunda parte do relatório Kroll, com os números das contas bancárias dos líderes petistas. Minha coluna foi publicada como um adendo à matéria principal. Nela, Daniel Dantas acusou o governo de concussão, incriminando diretamente o presidente. Não se sabe ao certo quem Lula pretendia chamar de bandido, mau-caráter, malfeitor e mentiroso, se Márcio Aith ou eu. Alberto Dines, que tem uma mentalidade igual à de Lula, e consegue entender o que ele fala, interpretou da seguinte maneira: "Embora o presidente tenha protestado em termos impróprios contra Márcio Aith, fica evidente que se referia ao parajornalista e pau-mandado Diogo Mainardi."

Decidi processar Lula. Meus advogados já mandaram um pedido de esclarecimento ao STF. Caso Lula confirme que o bandido, mau-caráter, malfeitor e mentiroso sou eu, processo-o por crime contra a honra. Para sorte do presidente, minha honra custa barato. Quero receber um ressarcimento de apenas 38,5 mil dólares, exatamente a mesma quantia que o espião da Kroll lhe atribuiu no paraíso fiscal. Metade do dinheiro vai para Márcio Aith.

Mas essa não é a única disputa que deverá ser resolvida nos tribunais. O espião da Kroll, numa das listas que encaminhou a *Veja*, acabou grafando errado o nome de Antonio Palocci. O fato gerou uma gritaria danada. Não consigo entender os petistas. Por isso implico tanto com eles. Antonio Palocci não processou seu antigo parceiro Rogério Buratti, que o acusou de ser corrupto. Ao mesmo tempo, prometeu processar *Veja*, que publicou uma lista em que ele é erroneamente chamado de Júnior. Ou seja, corrupto pode, Júnior não. Lula está certo. Não tenho 10% de sua dignidade e honestidade, se são esses os parâmetros do PT.

O mais espantoso na última semana foi a velocidade com que os jornalistas do aparato petista abafaram o caso Daniel Dantas. Eles descartaram qualquer possibilidade de que as contas de Lula e seus ministros pudessem ser verdadeiras. Mesmo sem saber quais eram. E não se interessaram em indagar sobre a concussão. Nesse ponto, eles foram ajudados pelos bandidos do PCC, que ocuparam todas as notícias. Os criminosos só se aplacaram quando ganharam uns aparelhos de televisão. Bem que alguém poderia mandar uns aparelhos de televisão para a sede do PT.

A vitória eleitoral de Lula era certa, resultado da covardia e da incapacidade de seus adversários.

GABEIRA PARA PRESIDENTE

Fernando Gabeira é meu candidato a presidente. O que falta agora é convencê-lo a se candidatar.

O primeiro contato não foi muito animador. Eu disse que votaria nele. Ele respondeu que só se candidataria se fosse para ganhar. Como assim? Ele quer ganhar? Ganhar ele não ganha. O que eu espero dele não é isso. O que eu espero dele é que manifeste toda a minha repulsa por lulistas e oposicionistas.

Na semana passada, Fernando Gabeira disse que se sentia frustrado "ao ver que os bandidos estão triunfando na vida pública". E concluiu: "Não rolei tanto barranco para entregar o ouro aos bandidos." Claro que rolou. Claro que ele terá de entregar o ouro aos bandidos. Como todos nós. Mas o tom de seu discurso está certo. O que Fernando Gabeira pode oferecer a mim e a um montão de gente como eu, durante a campanha eleitoral, é isto mesmo: um tantinho de teatro e um tantinho de demagogia, chamando sempre os bandidos de bandidos.

Os oposicionistas não entendem por que não conseguiram arrebanhar o eleitorado antilulista. Eles não conseguiram porque o eleitorado não é tonto e sabe perfeitamente que eles não são antilulistas. Como declarou Fernando Gabeira na última quarta-feira, o Congresso foi tomado por quadrilhas. Essas quadrilhas estão acima do interesse partidário ou ideológico. Diante delas, lulistas e oposicionistas se comportam de maneira igual. O caso da empresa do filho de Lula é emblemático. Os oposicionistas tinham a oportunidade de atingir diretamente o presidente, mas preferiram ignorar o assunto, porque suas afinidades com a Telemar acabaram prevalecendo.

Para conquistar o eleitorado antilulista, Fernando Gabeira terá de dar o passo que ele ainda não ousou dar. Ele chamou Severino Cavalcanti de bandido. Ele chamou Ney Suassuna de bandido. Ele chamou Romero Jucá de bandido. Ele chamou Natan Donadon de bandido. Ele só não chamou Lula de bandido. Estou aqui, esperando.

Há também a questão do táxi. Fernando Gabeira lembrou que, em sua campanha para o governo do Rio de Janeiro, em 1986, ele não tinha dinheiro nem para o táxi. Respondi que era melhor ficar sem táxi. Das duas, uma: ou o candidato rouba e toma táxi, ou não rouba e não toma táxi. Fernando Gabeira não rouba. Por isso é meu candidato. Então não pode tomar táxi. Ele concordou comigo.

Fernando Gabeira apoiou Lula na campanha presidencial de 2002. Eu não. Fernando Gabeira foi contra a CPI dos Bingos. Eu não. Fernando Gabeira foi contra a guerra no Iraque. Eu não. Fernando Gabeira se preocupa com o acúmulo de nitrogênio no solo. Eu não. Mas não importa o que ele pensa. Fernando Gabeira é o único político que ainda pode dar algum sentido à disputa eleitoral, representando a recusa de uma parcela do eleitorado em aceitar calada essa bandidagem tão rudimentar.

Eu apóio Fernando Gabeira para presidente. Meu maior temor é que ocorra um acidente e ele seja eleito. Um candidato só é realmente bom se a gente sabe que ele nunca poderá ganhar.

QUEM SABE É A CIA

Perguntei a Delfim Netto se ele sabia algo sobre as contas de Lula no exterior. Isso foi em setembro do ano passado. Estávamos no saguão da Câmara dos Deputados. Delfim Netto não é propriamente um interlocutor simples. Ele parece adormecer durante a conversa. Mesmo estando em pé. Não excluo que sua sonolência possa ter sido provocada por mim. É uma hipótese. Causo esse efeito sobre muita gente. O fato é que, quando mencionei as contas de Lula no exterior, ou num paraíso fiscal, já não lembro direito, Delfim Netto abriu momentaneamente os olhos e declarou:

— Quem sabe disso é a CIA.

Imediatamente depois de pronunciar a frase, Delfim Netto retornou ao seu estado de letargia. A declaração sobre a CIA, a única que consegui arrancar dele em mais de meia hora de encontro, ficou na minha cabeça. Por muito tempo, tentei darlhe alguma utilidade, citando-a numa coluna, sob um pretexto qualquer. Não consegui. Só agora, com a revelação da *Folha de S. Paulo* de que a Kroll se serviu da CIA para investigar Lula e seus ministros, a declaração ganhou um certo significado.

Indagado a respeito, Delfim Netto certamente negará. Já estou acostumado com isso. Sempre me acusam de inventar histórias. Embora eu não invente nada. Pelo menos não aqui, na coluna. Não sei de onde Delfim Netto tirou a informação sobre a CIA. Só sei que ele é muito chegado a Daniel Dantas, que contratou a Kroll para desencavar as contas de Lula no exterior. Daniel Dantas tem uma poderosa bancada no Congresso Nacional, com representantes de todos os partidos, de Jorge Bornhausen a Paulo Delgado, de José Agripino Maia a José

Eduardo Cardozo. Nos últimos anos, graças sobretudo a Naji Nahas, Delfim Netto passou a ser considerado um deles. Não é desarrazoado supor que a informação sobre a CIA tenha sido assoprada ali, naquele meio.

Lula nos amolou por trinta anos com sua gritaria contra o imperialismo americano. Agora que ele teria todos os motivos para gritar, estranhamente prefere ficar calado. Eu não gosto de Lula. Acho que ele é ruim para o país. Os leitores podem até me acusar de má-fé. Mas o silêncio do presidente é para lá de suspeito. A acusação de que a Kroll se apoiou na CIA para investigar as contas de autoridades brasileiras num paraíso fiscal é uma questão de segurança nacional. Exigiria uma reação imediata e dura. Se Lula não eleva o tom, é porque ele quer abafar o assunto. Quanto mais distante das manchetes, melhor. Minha única dúvida, a essa altura, é que assunto Lula quer abafar: a acusação de extorsão de Daniel Dantas, o envolvimento da CIA nas operações de espionagem ou os dados sobre uma conta bancária num paraíso fiscal. Se me pedissem um chute, eu chutaria que ele quer abafar os três. Mas será muito difícil obter uma resposta. Como diria Delfim Netto, quem sabe disso é a CIA.

Agora pode voltar a dormir.

Quando foi convocado à CPI dos Correios, em outubro de 2005, Daniel Dantas poderia ter encrencado Lula denunciando o achaque de Delúbio Soares ou os detalhes de sua nebulosa negociação com a Gamecorp de Lulinha. Não fez uma coisa nem outra.

Nos nove meses em que tive contato com Daniel Dantas, ouvi uma série de histórias comprometedoras sobre o governo. O documento mais explosivo que ele me mostrou foi um memorando interno do Citibank em que seus dirigentes relatavam uma reunião com o presidente da República em Nova York. De acordo com o memorando, Lula pressionara o Citibank a desfazer seu acordo com o Opportunity e a se aliar aos fundos de pensão. Os mesmos fundos de pensão, aliás, que participaram da compra da Gamecorp.

Daniel Dantas me mostrou o memorando do Citibank nos primeiros meses de 2006. Pedi ele que me entregasse uma cópia do documento, mas ele se negou, alegando segredo de justiça.

A ÚLTIMA SOBRE DANTAS

Daniel Dantas já enjoou. Eu sei. Esta é minha última coluna sobre ele. Não quero virar um Mino Carta. Volto ao assunto apenas porque preciso me livrar de todo o material que acumulei nos últimos meses e que agora, com o acordo entre Daniel Dantas e Lula, perdeu a validade. Nada do que eu disser terá efeito prático. Dane-se. O que me interessa é esclarecer alguns pontos que ainda permanecem no ar.

Meu primeiro contato com Daniel Dantas e seus homens ocorreu em setembro do ano passado, depois que publiquei duas colunas acusando-o de ter financiado o mensalão. De lá para cá, foram muitos outros encontros, que me permitiram reconstruir suas idas e vindas com o governo. O que Daniel Dantas e seus homens me contaram confidencialmente foi o seguinte:

• Em meados de 2002, Naji Nahas informou a Daniel Dantas que o presidente da Telemar, Carlos Jereissati, tinha assinado um acordo com o PT, em troca de dinheiro para a campanha eleitoral. Pelo acordo, o governo tomaria a Brasil Telecom de Daniel Dantas e a entregaria à Telemar.

• Daniel Dantas reagiu da única maneira que conhece, oferecendo ele também dinheiro para a campanha de Lula. Em 30 de setembro de 2002, depois de tratar com Delúbio Soares e Antonio Palocci, um de seus homens entregou-lhes 2 milhões de dólares, num hotel em São Paulo.

• Quando Lula foi eleito, o presidente do Banco do Brasil, Cássio Casseb, assumiu o comando da trama lulista para tomar a Brasil Telecom. Daniel Dantas me mostrou uma carta de Casseb à diretoria do Citigroup. Na carta, Casseb afirmava que Lula odiava Daniel Dantas e que faria de tudo para tirá-lo da Brasil Telecom.

• Daniel Dantas teve acesso também a um documento que relata o encontro entre a diretoria internacional do Citigroup e Lula. O principal assunto do encontro era a retirada de Daniel Dantas da Brasil Telecom. Lula alega que nunca soube da bandalheira que ocorria à sua volta, mas o fato é que ele interferiu pessoalmente numa disputa comercial, pressionando um banco estrangeiro a favorecer um grupo privado que o financiava em detrimento de outro.

• Daniel Dantas perguntou ao empreiteiro Sérgio Andrade, da Andrade Gutierrez, qual era o papel de Lula no esquema do mensalão. Sérgio Andrade, que é amigo de Lula, respondeu que o presidente não apenas sabia de tudo, como comandava o esquema.

O resto da história já foi contado aqui e em outras matérias de *Veja*, do achaque de 50 milhões de dólares praticado por Delúbio Soares à ajuda prestada por Daniel Dantas para acobertar o superfaturamento da empresa do filho de Lula. O único ponto que resta em aberto é a Kroll. Daniel Dantas conta que contratou a empresa para investigar um suposto desvio de dinheiro do presidente da Telecom Italia, Roberto Colaninno, na compra da CRT. Quando o caso de espionagem veio à tona, Daniel Dantas temeu ser preso. Um agente da Kroll foi contratado então para descobrir os dados bancários de Lula e de seus ministros no exterior. A lista que ele apresentou é aquela que está em poder do procurador-geral da República. Daniel Dantas tratou de desmerecer publicamente o trabalho do agente da Kroll, considerando seus achados inverossímeis. Em particular, ele e seus homens são muito menos céticos. Eles acreditam no agente da Kroll. Eu também.

A Gamecorp de Lulinha passou a transmitir seus programas no Canal 21, que pertencia à Rede Bandeirantes. Uma fonte da própria Rede Bandeirantes me contou que o acordo entre as duas empresas era muito mais abrangente do que parecia, podendo ser caracterizado como um arrendamento.

Troquei dois *e-mails* sobre o assunto com o jornalista Marcelo Tas, que tinha um programa no Canal 21. Ele me referiu o seguinte:

1. "Tivemos uma reunião com alguns dos garotos da Gamecorp onde eu, Lobão e Mariana colocamos na mesa claramente que sem liberdade editorial o programa não faz sentido. Nos foi garantida total independência."

2. "Da Gamecorp, está por lá o novo cara do Comercial — cujo nome não tive a curiosidade de saber — e Fernando Bittar, ao que me consta, filho do dito cujo Jacó Bittar, ex-prefeito de Campinas."

Os dois fatos confirmavam a suspeita de arrendamento: a Gamecorp tinha a responsabilidade editorial do Canal 21, a ponto de dar garantias de liberdade a Marcelo Tas, e assumira também o departamento comercial da rede.

Procurei um diretor da Anatel e um advogado de uma rede de TV para me certificar da legalidade da operação.

TEODORO E TEODORINO

Lula e Lulinha são como Teodoro e Teodorino. Teodoro Obiang Nguema Mbasogo, conhecido como "O Chefe", é o ditador da Guiné Equatorial. Está no poder desde 1979. Teodorino é seu filho. Tem um canal de TV. Internetei para cima e para baixo e, no mundo inteiro, só consegui encontrar esses dois casos de presidentes em exercício cujos filhos controlam canais de TV: Lula e Lulinha, Teodoro e Teodorino.

O canal de Teodorino é o RTV Asonga. O de Lulinha é o Play TV, antigo Canal 21, arrendado à Gamecorp pela Rede Bandeirantes. O contrato de arrendamento entre as duas empresas vale por dez anos. Inicialmente, a Gamecorp transmitirá seus programas por seis horas diárias, mas a idéia é se estender pelo dia todo. O sócio esperto de Lulinha, Fernando Bittar, é quem realmente manda na emissora. Lulinha é encarregado apenas de emprestar seu nome e embolsar os lucros.

Por mais de trinta anos, Lula e seus parceiros denunciaram o chamado coronelismo eletrônico, o sistema de favorecimento que garantiu a concessão de canais de TV, em nome próprio ou de parentes, a hierarcas nordestinos como José Sarney, Fernando Collor de Mello, ACM, Jader Barbalho, Garibaldi Alves, Albano Franco, Tasso Jereissati. Agora que Lulinha tomou posse de um canal de TV, ninguém parece se preocupar com isso, em particular os pelegos lulistas que controlam os sindicatos de jornalistas. Eu sempre desconfiei de que o real desejo de Lula fosse virar um José Sarney. Pronto: virou. Lula e Lulinha são como Sarney e Sarneyzinho.

O arrendamento de um canal de TV pela Gamecorp não é só uma arbitrariedade política: é uma ilegalidade. Nas duas últimas semanas, amolei um monte de especialistas no assunto, que me apontaram todas as normas que estão sendo flagrantemente violadas pelos benfeitores de Lulinha. Eu sei que essas questões legais são uma chatice, mas a análise sobre o lulismo, por algum motivo, sempre acaba no mesmo lugar: no Código Penal.

Um canal de TV não pode ser explorado por uma empresa que tenha mais de 30% de seu capital social nas mãos de estrangeiros. Está no artigo 222 da Carta Constitucional. A lei nº 10610, que regulamenta a matéria, considera "nulo qualquer acordo, ato ou contrato que, direta ou indiretamente, de direito ou de fato, mediante encadeamento de outras empresas ou por qualquer outro meio indireto", confira aos acionistas estrangeiros mais de 30% de um canal de TV. É o caso de Lulinha. O capital social da Gamecorp, de 5,2 milhões de reais, saiu quase integralmente da Telemar. A Telemar é uma empresa aberta, negociada nas bolsas de São Paulo e de Nova York. De acordo com os dados fornecidos pela própria operadora, os acionistas estrangeiros possuem 54,3% de seu capital social, superando amplamente o limite de 30%. Ou seja, o contrato de Lulinha é ilegal. Pior: é inconstitucional.

Lula, "O Chefe", não cairá por causa disso. Mas espero que seja o suficiente para melar o negócio de seu filho.

O Canal 21 me processou. O juiz Régis Bonvicino analisou o caso e tornou público o contrato entre a Rede Bandeirantes e a Gamecorp, que provava a abrangência do acordo entre as duas empresas. O processo foi extinto.

MINHA VIDA DE COIOTE

Lula é o Papa-Léguas. Eu sou o Coiote. Por quatro anos, imitei o desenho animado. Recorri a todas as artimanhas para capturar a presa: catapultas, foguetes, patins a jato, elásticos gigantes, tintas invisíveis, rochas desidratadas, comprimidos de terremoto. Nada deu certo. Lula sempre conseguiu escapar. E depois de escapar, como o Papa-Léguas, grasnou aquele estridente bip-bip em minha orelha, assustando-me e fazendo-me cair num abismo, em geral com uma pedra de dez toneladas na cabeça.

O maior achado do desenho animado de Chuck Jones é sua absoluta essencialidade. Os dois protagonistas, mudos, confrontam-se num panorama deserto, onde só há pedras e cactos, cujos espinhos terminam invariavelmente fincados na pele do Coiote. O Papa-Léguas é uma besta primária, um oportunista microcéfalo perfeitamente adaptado ao seu meio, que sabe apenas fugir e se esquivar das ciladas preparadas pelo Coiote. O Coiote, por sua vez, é a caricatura do humanista otário que acredita no triunfo da racionalidade, do conhecimento, do engenho humano, da lei, do progresso social, da tecnologia. E é repetidamente punido por causa disso. Se o Coiote é Lamarck, o Papa-Léguas é Darwin. Se o Coiote é o humanista Settembrini, o Papa-Léguas é o jesuíta Naphta. Se o Coiote é Bouvard e Pécuchet, o Papa-Léguas é a tempestade que devasta sua lavoura.

A comicidade do Coiote e do Papa-Léguas não está na variedade das piadas. Pelo contrário: está no repisamento infinito da mesma piada. O Coiote prepara uma armadilha. O Papa-Léguas passa incólume por ela. O Coiote se revolta e cai na própria armadilha. Quando se recupera de seus efeitos calamitosos, prepara outra armadilha, num ciclo interminável. Chuck Jones definiu o Coiote como um fanático, citando o filósofo George Santayana, para quem "um fanático é aquele que redobra seu empenho quando já esqueceu seu objetivo". Foi a fórmula que, semana após semana, tentei plagiar aqui na coluna. Com Lula no papel do Papa-Léguas e eu, no do Coiote.

Chuck Jones dirigiu episódios do desenho animado de 1949 a 1965. Eu resisti bem menos. Depois de quatro anos, com dezenas de artigos sobre o Papa-Léguas lulista, o esquema se desgastou. No ano que vem, mudo definitivamente de assunto. Até lá, espero concluir algumas das histórias a que me dediquei no último período: do meu processo contra Lula, que já está no STF, à denúncia de que ele possui uma conta num paraíso fiscal. Da ação popular que pretendo mover contra a empresa de seu filho, que arrendou ilegalmente um canal de TV, à revelação de novos casos de financiamento ilícito ao PT. O resultado de meu esforço será o mesmo de sempre. O Papa-Léguas passará por mim a toda velocidade, buzinando seu bip-bip. Eu, estupidamente, tentarei descobrir o que deu errado em meus planos e, de uma hora para outra, me verei caindo num abismo. Mas não ria. Porque você cairá junto comigo.

VOU EMBORA

Uma senhora me abordou na rua. Eu sou muito abordado em Ipanema. Ninguém aqui engole o Lula. Por isso me abordam. Para falar mal dele. O tempo todo. Com as piores ofensas. É meio aborrecido para mim. Estou enjoado do Lula. Quero me desatrelar dele. Quero parar de comentar suas asneiras. Mas agora é tarde. Lula sou eu. *Lula c'est moi.*

Curiosamente, não foi para falar mal do Lula que aquela senhora me abordou na rua. Foi para falar mal de mim. Ela queria que eu arrumasse as malas e fosse embora do Brasil. Para sempre. Eu e meus descendentes. Porque o Brasil, segundo ela, não é um lugar para quem não gosta do Brasil. Dei-lhe uma resposta educada e segui adiante. Quando cheguei em casa, me deitei no sofá e pensei. Depois, cutucando a orelha com uma caneta, pensei mais um pouco. E continuei a pensar nos dias seguintes. Por mais que me empenhasse, não consegui encontrar um argumento para contestar aquela senhora. Ela está certa, claro: o Brasil não é um lugar para quem não gosta do Brasil. Tão simples. Tão linear. Tenho de dar um jeito de me mandar daqui.

Cada um tem seu talento. O meu é ir embora do Brasil. Ninguém sabe ir embora do Brasil com mais engenho do que eu. É nisso que sou bom. E só nisso. Se ir embora do Brasil fosse pintura, eu seria Michelangelo. Se ir embora do Brasil fosse literatura, eu seria Flaubert. De uma hora para a outra, consigo largar tudo e partir. De maneira calma e ordenada. Com pouca bagagem. Minha turma é a dos retirantes. Daqueles que matam cadelas a pauladas. Tenho trinta anos de prática acumulada. Fui embora do Brasil num monte de oportunidades, por longos períodos. E sempre me dei bem. Porque eu sei o que esperar dos outros lugares. Quem parte pensando em encontrar lá fora algo muito melhor do que o Brasil se estrepa. Comigo isso nunca acontece. Vou embora do Brasil com o único propósito de ficar longe do Brasil. Qualquer lugar suficientemente distante daqui serve. Por pior que ele seja.

Um dos maiores atrativos de ir embora do Brasil é incomodar aqueles que ficam. Muita gente se sente pessoalmente ofendida quando alguém decide renunciar à nacionalidade. Eu sempre achei que nada podia ser mais nobre do que incomodar meus compatriotas. Mais nobre e mais gratificante. Estou mudando de idéia. Incomodei um bocado de gente no último ano. O resultado é que me encheram de processos. Todos aqueles mensaleiros que roubaram milhões e milhões conseguiram se safar. O único punido fui eu. Por acaso entrar pela garagem para fugir do oficial judiciário é nobre? É gratificante?

O ano que vem será um desastre para o Brasil. Golpismo de um lado. Golpismo do outro. Já comecei a preparar a retirada, estudando as rotas de fuga. Eu cumpri meu dever. Agora vou assistir à patetada de longe. De muito longe.

O LULISMO-LELÉ

O lulismo é uma psicopatia. Quem deu a dica foi o próprio Lula, duas semanas atrás, no discurso de abertura de um congresso de economia solidária. Ignoro o que seja economia solidária. Mas sei reconhecer um psicopata quando vejo um.

Em seu discurso, Lula lembrou como foi escolhido para presidir o sindicato dos metalúrgicos do ABC, em 1975. É uma passagem inédita de sua biografia. Procurei-a em *Lula – O filho do Brasil*, de Denise Paraná. Procurei-a também em *Lula – O início*, de Mário Morel, que acaba de ser republicado pela editora Nova Fronteira. Nenhum dos dois menciona o episódio. Pelo que Lula contou no congresso de economia solidária, os metalúrgicos o escolheram por meio de um "curso de psicodrama". Há casos de líderes sindicais que foram eleitos por meio de pancadaria. Há casos de líderes sindicais que foram eleitos por meio de assassinatos. Lula foi o primeiro sindicalista da história a ser eleito por meio de um curso de psicodrama. O sindicato dos metalúrgicos, na época, estava cheio de agentes infiltrados do SNI. O curso de psicodrama só pode ter sido uma idéia da sinistra secretaria psicossocial do general Golbery do Couto e Silva.

De acordo com Lula, ele tinha um concorrente ao cargo. Os dois foram incitados pelo psicodramista a representar suas visões do sindicato. O concorrente de Lula montou nas costas de um companheiro e imitou um avião. Lula, como sempre mais banal, como sempre mais dissimulado, simplesmente pediu aos metalúrgicos que formassem uma roda e dessem as mãos. Ganhou. Seria bom conhecer o sindicalista que montou nas costas do companheiro. Eu teria votado nele. O Brasil certamente estaria em melhor estado se ele tivesse sido eleito no lugar de Lula.

No mesmo discurso sobre economia solidária, Lula comparou o Brasil a um aeromodelo desmontado. Cito-o. Cito-o longamente. Eu sei que é aborrecido. Mas, se há gente disposta a aturá-lo por mais quatro anos, é porque pode aturá-lo também por um trecho de 478 toques:

> *Uma vez eu ganhei um avião de presente para o meu filho e um avião todo escrito em inglês, aquelas cartilhas para montar. Eu cheguei em casa, peguei aquele avião e falei: o que diabos eu vou fazer com isso aqui? Eu não sei ler inglês, eu não conheço nada de avião, como é que eu vou montar? A primeira impressão que tive foi de jogar fora, deixar lá. Aí eu lembrei que era possível procurar alguém que soubesse montar para mim. Arrumei uma pessoa que montou o avião e ficou bem.*

Eu sempre desconfiei de leituras psicanalíticas, mas o quadro é bastante claro. Lula tem dificuldade patológica em compreender o que lhe pertence e o que pertence aos outros. O aeromodelo foi presenteado a ele ou ao filho? É incerto a que filho ele se referia. Se o presente foi dado a Lulinha, quais eram os termos em inglês? Gamecorp? Game TV? Play TV? Pior: se o Brasil era complicado como um aeromodelo desmontado, o primeiro impulso de Lula, depois da posse, foi jogá-lo fora?

Se Lula for reeleito, é sinal de que os brasileiros surtaram. Minha receita é despejar Risperidon nos reservatórios hídricos.

Com muito esforço, resignei-me à candidatura de Geraldo Alckmin.

VOTO DE NARIZ TAPADO

Vote em Geraldo Alckmin.

Eu disse isso mesmo? Disse, sim. Disse e repito: vote em Geraldo Alckmin. É o melhor jeito de importunar os petistas. E importuná-los é o dever de todo brasileiro esclarecido. Os petistas aceitam ser chamados de mensaleiros. Eles aceitam ser chamados de quadrilheiros. Nada disso os afeta. Nada disso os ofende. No último ano, eles aprenderam a tirar de letra os piores insultos. O único ponto que realmente os importuna é a idéia de perder o poder. De entregar os cargos. De atrapalhar os negócios. Se Materazzi, o jogador da seleção italiana de futebol, aparecesse por aqui, é o método que ele usaria para enfurecer os petistas. Ele diria: vote em Geraldo Alckmin. Ou, de acordo com a leitura labial da Rede Globo: sua irmã vota em Geraldo Alckmin. Basta pronunciar essas palavras que os petistas saem distribuindo testadas.

Eu sei que me arrependerei deste artigo. Ele me perseguirá pelo resto da carreira. Ficará grudado em mim como uma alface no dente da frente, avacalhando minha imagem, cobrindo-me de vergonha. Geraldo Alckmin é um mau candidato, tem um mau partido e, se eleito, será um mau presidente. No futuro, terei de imitar aqueles jornalistas petistas que pediram votos para Lula e depois passaram a simular imparcialidade. Em tempos normais, eu argumentaria que é melhor se abster do que votar. É melhor ir à praia do que votar. É melhor ficar cochilando no sofá do que votar. Só que este é um momento particular. Os petistas precisam ser punidos pelo mensalão. E sobrou apenas uma maneira de puni-los: tirá-los do poder votando em Geraldo Alckmin. É pouco? Claro que é pouco. É um amesquinhamento? Claro que é um amesquinhamento. Mas agora é tarde demais. Todos os mecanismos democráticos falharam, e restou somente essa saída plebiscitária, essa saída bolivariana, essa saída bananeira. Com os petistas ou sem os petistas. Com Lula ou sem ele.

Meu primeiro compromisso como cabo eleitoral de Geraldo Alckmin é ignorá-lo até outubro. Vou parar de ler seus discursos na imprensa. Vou parar de ver seus programas na TV. Quero simplesmente tapar o nariz e votar. Quem desenvolveu a técnica de votar de nariz tapado foi Indro Montanelli. Montanelli era uma espécie de Materazzi do jornalismo. Na campanha eleitoral de 1976, a Itália estava rachada no meio. De um lado, os democratas-cristãos, com sua conhecida pilantragem. Do outro lado, os comunistas, com seus impulsos totalitários. Montanelli não pestanejou. Num editorial, aconselhou os eleitores a tapar o nariz e votar nos democratas-cristãos. Foi o que aconteceu. Os democratas-cristãos, que estavam atrás em todas as pesquisas de opinião, recuperaram terreno e venceram. Um ano depois, os terroristas das Brigadas Vermelhas se vingaram de Montanelli metralhando suas pernas. O princípio de votar de nariz tapado até hoje permanece válido. Consiste em reconhecer que, se um partido é ruim, o outro é ainda pior. Se um candidato é perigoso, o outro é ainda mais.

Vote em Geraldo Alckmin. Sua irmã vota em Geraldo Alckmin.

NA COVA CULTURAL

É aborrecido escrever todas as semanas sobre Lula. Mas escrever sobre cultura é ainda pior. Cultura é a minha área. Foi o que eu fiz até outro dia. É onde normalmente está minha coluna. Nas páginas de cultura. Ou, na hipótese mais benevolente, nas páginas de entretenimento. Escrever sobre entretenimento é ligeiramente menos indecoroso do que sobre cultura. Cultura é o tema mais rasteiro que há. Entretenimento vem em segundo lugar. Passei os últimos quatro anos simulando interesse pela bestialidade lulista, engolindo minha repulsa por ele. Foi só por isso: para me afastar temporariamente da cultura. Agora que Lula acabou, serei sepultado de novo na cova cultural.

Parei de ler os suplementos de cultura dos jornais cerca de dois anos atrás. Estou retornando aos poucos, com cautela. Os colunistas continuam os mesmos. Se algum deles morreu de lá para cá, lamento muito, nem percebi. Além de publicar artigos nos jornais, os colunistas passaram também a publicar em *blogs*. Quem se saiu melhor no novo meio foi Marcelo Coelho. Quando parei de ler seus artigos na Folha Ilustrada, ele dava conselhos de leitura. Atualmente, dá conselhos na internet sobre como educar os filhos. Tenho dois filhos malcriados, mais ou menos da mesma idade dos filhos dele. Posso garantir que Marcelo Coelho tem infinitamente mais a dizer sobre filhos malcriados do que sobre Stendhal. Com admirável habilidade, ele soube dar um novo rumo à sua carreira. Marcelo Coelho virou a Supernanny da imprensa.

O cineasta petista Jorge Furtado está rodando um filme. O Segundo Caderno de *O Globo* achou que isso merecia uma matéria de primeira página. A tese central do filme é que o investimento em cinema é tão necessário para o país quanto o investimento em esgoto. Para defender a tese, Furtado recebeu dinheiro do Ministério da Cultura, do BNDES, da Petrobras. De acordo com ele, trata-se de seu filme mais político. Não sei se ele incluiu na lista aquele curta-metragem encomendado pelo Banco do Brasil de Henrique Pizzolato, sacador do valerioduto. Na matéria do *Globo*, Furtado diz que fez cinco campanhas para o PT. Depois se desiludiu com a política. Apesar de desiludido com a política, ele promete votar outra vez em Lula. Mas acrescenta: sem "sair com minha bandeira". *O Globo* é como eu. Fala sobre Lula só para tentar escapar das estreitezas da cultura. Se cultura é Furtado, melhor falar sobre Lula.

Outro velho conhecido dos meus tempos de cronista cultural é Caetano Veloso. Já fiz um monte de artigos sobre ele. Terei de voltar a fazer. No último número da revista *Cult*, ele reclama de minha atividade como resenhista literário e diz que me transformei "numa personagem". Tenho medo de Caetano Veloso. Ele cisma comigo. Vai acabar me dedicando uma música. Quando isso acontecer, todo mundo vai me apontar na rua e dizer: "Olha lá o novo Menino do Rio, olha lá o novo Leãozinho, olha lá a nova Tigresa." Não basta ter de comentar os romances de Chico Buarque. Não basta ter de ver as novelas de Luiz Fernando Carvalho. Não basta ter de folhear os ensaios de Moniz Bandeira. Quem mexe com cultura também corre o risco de ser humilhado publicamente.

FIDEL É BRASILEIRO

Fidel Castro é brasileiro. É o que dizem alguns pesquisadores paraenses. Eu sempre desconfiei disso. Tudo o que é ruim tem um pé no Brasil. Procurando direito, a gente conseguiria encontrar a origem brasileira da peste negra, do efeito estufa, da seborréia, do teatro de rua, do imposto de renda.

De acordo com os pesquisadores paraenses, o pai de Fidel, Angel Castro, conheceu sua mulher, Delphina Smith, no interior do Pará. Mais precisamente, na cidade de Tracuateua, que parece um trocadilho chulo do colunista Agamenon Mendes Pedreira. Foi ali que eles geraram seu filho ilustre. Em 1960, Fidel Castro mandou Che Guevara ao Brasil para incendiar o cartório de Gurupá, eliminando todos os vestígios de seu nascimento. Eu entendo Fidel. Dá mesmo vergonha de ser brasileiro. Todo brasileiro com um pingo de caráter deveria mandar incendiar o cartório em que foi registrado. Incendiar o cartório de Gurupá foi a única manobra militar que o pateta do Che Guevara conseguiu realizar direito. Che Guevara era o despachante de Fidel. O meu despachante, o Vladson, tira passaporte em menos de 24 horas. Vou perguntar quanto ele cobraria para atear fogo a um cartório.

Os pesquisadores paraenses descobriram um tio de Fidel Castro em Tracuateua, o tio Dagoberto. Ele já passou dos 100 anos. A meta dos pesquisadores paraenses é comparar o DNA do tio Dagoberto ao de Fidel. Quem seguramente tem sangue brasileiro é Raúl Castro, irmão de Fidel e seu sucessor dinástico. Pelo que declarou Alcibiades Hidalgo, seu antigo chefe-de-gabinete, que fugiu de Cuba em 2002, Raúl Castro costuma encher a cara e ter crises de choro, como um presidente brasileiro. Quando passa o porre, Raúl Castro manda fuzilar meia dúzia de dissidentes.

O mesmo teste de DNA que poderia confirmar a origem brasileira de Fidel Castro acaba de revelar que o *Homo sapiens* tem 5% de carga genética neandertal. Tudo indica que o *Homo sapiens* brasileiro possui um pouco mais. O cruzamento das duas espécies deve ter ocorrido no Brasil. Como o cruzamento dos pais de Fidel.

Quatrocentos intelectuais do mundo inteiro assinaram um manifesto de apoio a Cuba. A maior representante da nossa intelectualidade era Letícia Spiller. Os brasileiros gostam de Cuba. Muita gente esperava que Lula instaurasse o castrismo no Brasil. Passei os últimos quatro anos repetindo que isso jamais aconteceria. Lula é a expressão de algo bem mais familiar na política brasileira e de que nunca vamos nos livrar. Ele é o ACM. É o Sarney. É o Jader Barbalho. É o Severino Cavalcanti. Na verdade, nem Fidel Castro é castrista. O antigo chefe-de-gabinete de Raúl Castro descreveu o regime cubano da seguinte maneira: "Todos os mandarins do Exército são corruptos. Muitos deles têm filhos que vivem no exterior, trabalham em importadoras e possuem contas em paraísos fiscais. Em Cuba, para ser corrupto sem correr riscos é preciso contar com a permissão dos irmãos Castro." Os pesquisadores paraenses estão certos. Fidel Castro é brasileiro. Fidel Castro é lulista.

GINECOMASTIA, SANFONEIROS, POBRES

O programa eleitoral começou na terça-feira. No dia seguinte, a notícia mais lida na Folha Online era sobre o comediante Ceará. Nada sobre Lula. Nada sobre Geraldo Alckmin. Nada sobre Heloísa Helena.

Eu desconhecia o comediante Ceará. Ele é imitador de Silvio Santos. De acordo com a Folha Online, foi parar no hospital por causa de uma ginecomastia. A ginecomastia é o aumento do volume das mamas no homem. Em geral, é provocada por medicamentos ou distúrbios hormonais.

Ceará sofreu uma cirurgia plástica para a retirada das mamas e, poucas horas depois, já estava perfeitamente restabelecido. O eleitor consciencioso pode deplorar a apatia política dos internautas da Folha Online, mas o fato é que a ginecomastia de Ceará é um assunto muito mais interessante do que o programa eleitoral.

Acompanhei a estréia da propaganda de todos os candidatos a presidente. Menos a de Geraldo Alckmin. Como já esclareci aqui na coluna, pretendo evitar qualquer contato com sua campanha, porque temo desistir de votar nele. Quando ele apareceu na tela, mudei imediatamente de canal, para um velho espetáculo musical na RAI. Li que a trilha sonora do programa de Alckmin, assim como a de Lula, foi feita por um sanfoneiro. Precisamos urgentemente de uma reforma política que proíba o emprego de sanfoneiros na propaganda eleitoral.

O programa de Lula foi muito simples e eficiente. Primeiro apareceu Lula, com um sorriso apatetado, dizendo as mentiras de sempre e penando para seguir o *teleprompter*. Depois apareceu o retrato de um monte de gente feia e pobre. O locutor disse: "Lula tem a cara do povo." É verdade. Nos últimos quatro anos, Lula enriqueceu. Colocou jaquetas nos dentes e Botox na testa. Mas continua com uma cara autenticamente pobre. Mais do que Alckmin. Mais do que Heloísa Helena. Mais do que Cristovam Buarque. O maior atrativo de Lula é sua cara. O eleitor pobre olha para ele e vota.

Lula só conseguiu chegar até o fim de seu mandato porque tucanos e pefelistas calcularam que seria melhor poupá-lo, aplicando-lhe um astuto "*impeachment* nas urnas". O que nenhum deles parece ter compreendido foi que a contrapartida do *impeachment* nas urnas era a anistia nas urnas. Foi para isso que Lula trabalhou nos últimos meses. Se sua cara de povo o reeleger, o lulismo será perdoado de todos os seus crimes. Aos eleitores, restará apenas discutir sobre a ginecomastia.

O MENSALÃO DAS ARTES

José de Abreu é ator. Apóia Lula. Os americanos decidiram boicotar Mel Gibson por seu anti-semitismo e Tom Cruise por sua cientologia. Podemos boicotar José de Abreu por seu lulismo. Ele é nosso Mel Gibson. É nosso Tom Cruise.

A Eletrobrás patrocinou o último espetáculo teatral de José de Abreu. É um monólogo em que ele interpreta José Dirceu, José Mentor e Gilberto Gil. Uma gente da melhor qualidade. Liguei para a assessoria de imprensa da Eletrobrás e perguntei quanto José de Abreu ganhou pelo espetáculo. Foram precisamente 145,9 mil reais. É muito? É pouco? Que sei lá eu? A rigor, qualquer investimento em teatro pode ser visto como um despropósito. O fato é que, contando com uma forcinha de José Sarney, José de Abreu ganhou o patrocínio da Eletrobrás. E apóia Lula. Em setembro, ele apresentará seu espetáculo no Amazonas. Amazonenses: boicotem-no.

Wagner Tiso também apóia Lula. Fui conferir sua agenda. Vi que ele rege a Orquestra da Petrobras, toca no Domingo na Funarte, coordena as Quintas no BNDES, viaja a Paris a convite do Ministério da Cultura, é mandado a Goiás pelo Ministério do Turismo, apresenta-se no Centro Cultural Banco do Brasil, e pede tutu da Lei Rouanet para gravar um CD comemorativo de sua carreira. Gosto de me intrometer na vida dos outros. Eu teria o maior interesse em saber quanto do faturamento de Wagner Tiso foi bancado pelo Estado nos últimos anos. E se o número aumentou ou diminuiu durante o mandato de Lula. Pensei em ligar para ele e perguntar-lhe diretamente, mas fiquei envergonhado. Wagner Tiso é amigo de um amigo. Já amolei tanta gente que só me restou amolar os amigos dos amigos. Acabei telefonando para a assessoria de imprensa da Petrobras, para tentar descobrir o valor de seu contrato com a Orquestra. Ninguém quis me informar. A Petrobras é o maior patrocinador cultural do Brasil. Em 2005, investiu 235 milhões de reais em patrocínios. É o mensalão das artes.

Cada um vota como bem entende. Eu só acho que, por pudor, os lulistas deveriam fazê-lo escondido, em vez de anunciá-lo publicamente, como aconteceu na casa de Gilberto Gil, na última segunda-feira. Listei algumas personalidades do meio artístico que declararam voto em Lula e que merecem ser boicotadas. Todas elas já receberam alguma ajuda do Estado. O efeito do boicote será nulo. Mas é sempre uma farra perturbar os lulistas. Caso alguém queira acrescentar um nome, mande-o para mim. Por enquanto, minha lista é a seguinte: Paulo Betti, Arlete Salles, Bete Mendes, Jorge Mautner, Alcione, Jards Macalé, Renata Sorrah, Zeca Pagodinho, Fernanda Abreu, Luiz Carlos Barreto, Augusto Boal, Rosemary, Jorge Furtado, Marcos Winter, DJ Marlboro, Ariano Suassuna, Shel, Cara Branca, Magrelo e Moringa. Peraí. Cancele a última parte. Estou confundindo tudo. É o problema de ler tantos jornais. Os quatro últimos apóiam o PT, mas não pertencem ao meio artístico. Pertencem ao PCC.

A VOZ DO PT

José Dirceu tem um *blog*. Quer saber quanto o iG gasta com ele? Eu também quero. Quer saber de quem é o dinheiro do iG? É seu, tonto! De quem mais poderia ser?

O iG pertence à Brasil Telecom. E a Brasil Telecom está na esfera dos fundos de pensão estatais. Eu já contei aqui na coluna como o lulismo tomou a Brasil Telecom de Daniel Dantas. Houve de tudo: financiamento ilegal de campanha, espionagem, chantagem, achaque e propina. Eu já contei também qual foi o papel de Lula na trama. Chega de me repetir. Quem quiser saber mais sobre o assunto, consulte o arquivo de *Veja*. O que importa agora é como o iG está gastando seu dinheiro. E para onde ele está indo.

Luiz Gushiken é o ideólogo da propaganda lulista. Quando os fundos de pensão passaram a influir no iG, o portal se transformou na voz do PT. Caio Túlio Costa, aquele que Paulo Francis apelidou de "lagartixa pré-histórica", foi nomeado presidente do grupo em maio deste ano. De lá para cá, além de José Dirceu, foram contratados como comentaristas Franklin Martins, Paulo Henrique Amorim e Mino Carta. Todos eles na fase descendente de suas carreiras. Todos eles afinados com o DIP de Luiz Gushiken. Mais do que isso: Paulo Henrique Amorim e Mino Carta se engajaram pessoalmente na batalha comercial do lulismo contra Daniel Dantas. Quer saber quanto o iG paga a Franklin Martins? Entre 40 mil e 60 mil reais. Quer saber quanto ele paga pelo programa de Paulo Henrique Amorim? Oitenta mil reais.

O iG pode parecer pouca coisa. Mas é o terceiro maior portal do Brasil. Agora está pronto para difundir a propaganda do governo. O PT acaba de elaborar um documento em que pede uma "mudança nas leis para assegurar mais equilíbrio na cobertura da mídia eletrônica". Muita gente está alarmada com o documento. O temor é que, num segundo mandato, os lulistas atropelem as leis para tentar aumentar seu controle sobre a imprensa. O fato é que isso já aconteceu pelo menos uma vez neste mandato, quando a turma de Luiz Gushiken tomou de assalto o iG. O documento do PT fala em oferecer "incentivos econômicos para jornais e revistas independentes". Independente, para o PT, é José Dirceu. É Franklin Martins. É Paulo Henrique Amorim. É Mino Carta. É o assessor de imprensa de Delcídio Amaral, que tem um *blog* político no iG. Só falta o Luis Nassif. Essa é a turma que, segundo o PT, precisa de incentivos econômicos do Estado. *Carta Capital* sempre atacou Daniel Dantas. Acaba de ser recompensada por um acordo com o iG. De quanto? Eu quero saber.

Lula cantarolou a seguinte marchinha, como relatam os repórteres Eduardo Scolese e Leonencio Nossa no livro *Viagens com o presidente*:

Ei, José Dirceu,
devolve o dinheiro aí,
o dinheiro não é seu

Lula conhece muito bem José Dirceu. Se diz que o dinheiro não é dele, é porque não é mesmo. Devolve o dinheiro aí, José Dirceu.

O artigo sobre o iG rendeu-me processos da Brasil Telecom [na verdade, dois processos], da Petros [mais dois], da Funcef [dois], da Previ, de Paulo Henrique Amorim [dois] e de Mino Carta. Ganhei todos.

PODEM ATIRAR. UI! AI!

Eu não era o oráculo de Ipanema? Como pude errar tanto assim? Em novembro de 2004, vaticinei que Geraldo Alckmin seria eleito presidente no lugar de Lula. Cito-me:

> *Lula vai perder em 2006 porque o PT será identificado como o partido que desvia verbas para financiar campanhas eleitorais. Que persegue a imprensa. Que segue a tradição coronelista de distribuir esmolas em troca de votos. Que compra o apoio de outros partidos com malas cheias de dinheiro. Que se alia desavergonhadamente a políticos que sempre combateu. Que dá carta branca a seu tesoureiro em reuniões ministeriais. Que protege os amigos do presidente.*

Repito: novembro de 2004. Muito antes do mensalão. Muito antes de Roberto Jefferson. Na ocasião, ninguém acreditou em minha profecia. O que se sabe agora é que não era mesmo para acreditar. Lula está lá na frente. Geraldo Alckmin está lá atrás. O oráculo de Ipanema revelou-se uma fraude. Mais um charlatão tentando se aproveitar da credulidade popular. No ano passado, quando Lula parecia morto, cobri-me de glória. Os devotos vinham depositar oferendas na porta de casa. O tempo passou e o falso profeta foi desmascarado. Chegou a hora das pedradas. Podem atirar. Eu fico parado. Ui! Ai!

O segundo mandato de Lula será uma chatice. Já estou me preparando para o pior. Os lulistas querem comprar a imprensa. É o método deles. Compram tudo. Compram jornalistas, compram deputados, compram nordestinos pobres. Quem não quiser o dinheiro deles terá de se arranjar. No caso da imprensa, o ataque será indireto, por meio dos tribunais. Nesse ponto, sou uma espécie de cobaia dos lulistas. Nos últimos anos, eles apresentaram um monte de denúncias contra mim. Perdi a conta de quantas elas são. Mais de cem. A mais extravagante de todas é a dos acreanos. Meses atrás, no *Manhattan Connection*, comentando a frase de Evo Morales de que a Bolívia havia cedido o Acre em troca de um cavalo, respondi ironicamente que aceitaria o cavalo de volta. Uma deputada federal do PCdoB, Perpétua Almeida, mandou os funcionários de seu gabinete recolherem assinaturas de acreanos dispostos a me processar. Cento e sessenta apareceram. O resultado é que tenho cento e sessenta processos individuais num tribunal do Acre. É como se os moradores de Pelotas processassem Lula por seu comentário ofensivo sobre a cidade. Processem-no, pelotenses.

Muita gente me considera a versão barata de Paulo Francis. Ele enfrentou um processo de 100 milhões de dólares da Petrobras. Eu enfrento processos de 7 mil reais de oitenta e tantos acreanos. Perpétua Almeida é minha Petrobras. Dei uma olhada nos projetos de lei de sua autoria. Um deles obriga todos os órgãos federais a comprar e a expor obras de artistas nacionais. Outro estende a *Voz do Brasil* para a televisão. Eu sou a versão barata de Paulo Francis. O lulismo é a versão barata do que a gente queria para o país.

Ganhei todos os 160 processos acreanos.

SEM LULA, O MUNDO É MELHOR

Quero que Lula perca. Como quero que Lula perca, rejeito todas as pesquisas eleitorais. O procedimento é simples. Quase todo dia aparece uma pesquisa indicando sua vitória no primeiro turno. Consulto o Datafolha e o Ibope, cotejo os dados região por região, classe social por classe social, e passo a distorcer a realidade. Tiro um ponto porcentual de um candidato, dou dois pontos a outro, depois amplio as margens de erro até conseguir subverter os resultados. Em minhas análises do Datafolha e do Ibope, Lula sempre perde. É um mundo melhor, o meu. Um mundo mais limpo.

O resto da imprensa é igual a mim. Todos os jornalistas interpretam as pesquisas de acordo com seus desejos e simpatias. Pouco tempo atrás, o Datafolha mostrou que Lula estava praticamente empatado com Geraldo Alckmin na camada dos eleitores com renda acima de dez salários mínimos. Elio Gaspari, eleitor de Heloísa Helena, aproveitou para pontificar: "A maldição elitista do tucanato, segundo a qual o companheiro seria reeleito pela massa dos não-informados aliada aos menos escolarizados, faz água. Vai ao brejo a idéia da reeleição, pela vontade de pobres ignorantes, de um presidente ruinoso que teve quarenta malfeitores à sua volta." Quatro dias depois, o Datafolha voltou atrás, mudando radicalmente seu prognóstico. Naquela camada dos eleitores mais ricos, o empate técnico se transformou numa extraordinária vantagem de 27 pontos para Geraldo Alckmin. O discurso de Elio Gaspari foi para o brejo. Vingou a idéia de que Lula é um presidente ruinoso com quarenta malfeitores à sua volta, e que só é votado por uma massa de pobres ignorantes.

Os pobres ignorantes são o principal tema de disputa entre os analistas de pesquisas eleitorais. Em particular, os pobres ignorantes do Nordeste. Os lulistas acreditam que os pobres do Nordeste são tão ignorantes, mas tão ignorantes, que vão acabar votando em Lula, apesar dos quarenta malfeitores. Os tucanos discordam. Eles acreditam que os pobres do Nordeste podem até declarar voto em Lula nas pesquisas eleitorais, mas são tão ignorantes, tão ignorantes, que vão apertar o botão errado na hora de votar, anulando suas escolhas. Sempre que Lula ultrapassa a barreira dos 50 pontos, sou obrigado a apelar para esse argumento.

José Dirceu, um dos quarenta malfeitores citados por Elio Gaspari, comparou nossa imprensa aos militares golpistas de 1964. Não dá para entender José Dirceu. O triunfo eleitoral de Lula demonstra claramente que a imprensa é inofensiva. Quando ela tenta reagir, basta comprá-la. O Brasil não é dominado por uma elite má. Essa elite má só existe para gente como José Dirceu e Elio Gaspari. O Brasil é dominado por uma massa de pobres ignorantes. Eles estão decidindo por nós. E estão decidindo muito mal. Isso se não confundirem os algarismos e apertarem os botões errados.

Em 15 de setembro, membros da campanha de Lula foram flagrados tentando comprar o falso dossiê para incriminar os candidatos oposicionistas José Serra e Geraldo Alckmin.

ISTOÉ, A MAIS VENDIDA

Fim de agosto. Base aérea de Congonhas. Lula se encontra com Domingo Alzugaray, dono da *IstoÉ*. O encontro está fora da agenda presidencial. Alzugaray se lamenta dos problemas financeiros da revista. Sabe como é: salários atrasados, contas penduradas com o fornecedor de papel e com a gráfica. Lula pergunta como pode ajudá-lo. Alzugaray sugere o pagamento imediato de uma série de encartes encomendados pela Petrobras. Valor total: 13 milhões de reais. Lula promete se interessar pelo assunto. Duas semanas depois, a *IstoÉ* publica a matéria de capa com os Vedoin, incriminando os opositores de Lula.

Quem relatou o encontro confidencial entre Lula e Alzugaray foi o editor da sucursal brasiliense da *IstoÉ*, Mino Pedrosa. E quem o relatou a mim foi o PFL. Creio que seja verdade. Creio em tudo o que contam de ruim a respeito de Lula. O que posso garantir é que a imprensa lulista funciona assim mesmo. O presidente manda. O jornalista publica. O contribuinte paga. Aborreci um monte de gente para tentar descobrir se a *IstoÉ* foi socorrida pela Petrobras nas últimas semanas. Ninguém soube me dizer. Os gastos em publicidade da Petrobras competem somente a ela mesma. O presidente manda. O jornalista publica. O contribuinte paga. Mas nunca fica sabendo onde foi parar o tutu. É o esquema perfeito. A *IstoÉ* foi acusada por seu próprio editor de ter vendido a matéria de capa com os Vedoin.

Quem forneceu o dinheiro? Meu conselho é perguntar ao diretor de *marketing* da Petrobras, Wilson Santarosa. Ele é homem da CUT, como muitos dos que foram pegos em flagrante nessa trama golpista. E é amigo de José Dirceu. Sempre desconfio de quem é da CUT e amigo de José Dirceu.

Um dos principais petistas implicados na compra de matéria da *IstoÉ* foi Hamilton Lacerda. Ele era coordenador da campanha de Aloizio Mercadante. Foi afastado depois de admitir que negociou a entrevista com os Vedoin. O repórter Ricardo Brandt descobriu que Lacerda "atuou como intermediador de contratos da Petrobras com órgãos de imprensa". Esses fatos esclareceriam o que aconteceu desde o encontro de Lula com Domingo Alzugaray na base aérea de Congonhas até hoje. Lacerda era o responsável pela propaganda eleitoral de Mercadante. A produtora que faz a propaganda eleitoral de Mercadante é a VBC. VBC... VBC... O nome é familiar. É a mesma VBC que se meteu no escândalo do lixo de Marta Suplicy? É a mesma VBC que produziu farto material de propaganda da Petrobras, incluindo um documentário de três horas sobre o Pantanal? Sim. É a mesma VBC. Esse é o único lado bom do PT: seus enredos criminosos sempre fecham. Tanto que, nesse episódio da matéria da *IstoÉ*, já apareceram pessoas envolvidas com Celso Daniel, valerioduto, diretoria do Banco do Brasil, ONGs do Ministério do Trabalho, contratos de publicidade, Delúbio Soares, sanguessugas. De um jeito ou de outro, tudo se encaixa. Tudo remete a Lula e a José Dirceu.

Lula ainda pode se eleger. No segundo turno. Se ele for eleito, cedo ou tarde seu mandato será cassado. Porque sua campanha usou dinheiro ilegal. Nos últimos anos, peguei no pé dos jornalistas alinhados com o PT. Foi burrice minha. A imprensa lulista é o melhor produto nacional. Primeiro derrubou Antonio Palocci. Agora vai derrubar Lula. Alguém aí quer me comprar?

No fim de setembro, a Veja Online me contratou para fazer um podcast semanal. No primeiro programa, conversei com o jornalista e blogueiro Reinaldo Azevedo sobre o dossiê Vedoin e a eleição presidencial:

EU: Vou me declarar golpista.

AZEVEDO: Aqui é assim: urna é tribunal. Qualquer bandido que for eleito está absolvido.

UM GOLPISTA SEM FARDA

Estou aqui. Em Jacarepaguá. Rede Globo. Comendo bisnaguinhas com presunto e queijo. Quantas já comi? Seis? Sete?

Faltam duas horas para o debate eleitoral. Lula acaba de mandar uma mensagem à Rede Globo. A mensagem diz: "Não posso render-me à ação premeditada e articulada de alguns adversários que pretendiam transformar o debate desta noite em uma arena de grosserias e agressões." Foi só para isso que eu vim a Jacarepaguá. Para ver Lula na arena. Ele desistiu no último momento. Chegou a mandar sua lista de convidados. De todos eles, eu só queria ter visto sua secretária particular. A mulher de Oswaldo Bargas. Preciso parar de comer bisnaguinhas com presunto e queijo.

Entro no auditório. Quem é aquele? Gabriel Chalita? Fiz um artigo a respeito dele. Quem é aquele outro? Ricardo Noblat? Sei de uma história dele dos tempos da Propeg. Geraldo Alckmin está acenando para mim ou para a Paula? É para a Paula. Chegou o Tasso Jereissati. O irmão dele está me processando. Viu o cabelo do Alberto Goldman? Errou a tintura.

Começa o debate. Fala Cristovam Buarque. Fala Geraldo Alckmin. Fala Heloísa Helena. Réplica. Tréplica. Lula faz falta. O repórter na minha frente anota sem parar. Olho meus papéis.

Só há uma anotação: Chiquinho 97626382. É o celular do motorista. No fim do primeiro bloco, telefono para o Chiquinho e volto correndo para casa.

Quero que Lula perca. Mas perder ou ganhar é igual. Se ele perder, tem de ser cassado. Se ele ganhar, tem de ser cassado. O comando da campanha eleitoral de Lula foi pego com dinheiro sujo. Quem é pego com dinheiro sujo deve ser punido. Os lulistas sabem que o Tribunal Superior Eleitoral acabará pedindo a cassação do mandato de Lula. É a lei. José Dirceu, Marco Aurélio Garcia, Ricardo Berzoini e Tarso Genro já declararam que aplicar a lei contra Lula é golpe. Tarso Genro alertou para o risco de um "golpe branco", um "golpe eleitoreiro", um "golpe jurídico", um "golpe brando". Na última quinta-feira, num artigo publicado no Globo, ele chegou até mesmo a chamá-lo de "golpe legal". Se o golpe é legal, a defesa da legalidade só pode ser golpista. E a defesa da ilegalidade só pode ser democrática. Depois de legitimar o roubo, o lulismo está conseguindo legitimar o golpe de Estado. Se é assim, eu sou golpista. Um golpista sem farda. Um golpista sem tanque. Um golpista sem bala.

O golpista Mainardi se entrincheira com seus leitores. Do outro lado da barricada, o lulismo. Falta-nos apenas um comando. Um general bigodudo e truculento. O segundo mandato de Lula será melhor do que o primeiro. Pelo menos para nós, golpistas. Um fato nós já sabemos com certeza: está rolando um bocado de dinheiro sujo na campanha eleitoral. Aquele mesmo dinheiro sujo que seria usado para comprar o depoimento fraudulento dos Vedoin. Procurando um pouquinho, no segundo mandato poderemos encalacrar um petista por semana.

O golpe dará certo.

No podcast, comentei com Reinaldo Azevedo o resultado do primeiro turno eleitoral, bem mais apertado do que se supunha, com uma diferença de apenas sete pontos entre Lula e Geraldo Alckmin:

EU: Já estou sentindo saudade do Lula. Acabou o Lula.

AZEVEDO: Já sabemos uma coisa com certeza — metade do país não quer saber dele.

NOTÍCIAS DA ITÁLIA

O lulismo está indo para a cadeia. Na Itália.

O caso estourou duas semanas atrás. Os promotores públicos milaneses descobriram que a Telecom Italia tinha um esquema de pagamentos ilegais a autoridades brasileiras. O esquema era simples. A Telecom Italia do Brasil remetia dinheiro a empresas de fachada sediadas nos Estados Unidos e na Inglaterra. A dos Estados Unidos era a Global Security Services. A da Inglaterra era a Business Security Agency. O dinheiro depositado nas contas dessas duas empresas era imediatamente repassado a intermediários brasileiros, que o distribuíam a terceiros.

A Business Security Agency era administrada por Marco Bernardini, consultor da Pirelli e da Telecom Italia. Ele entregou todos os seus documentos bancários à magistratura italiana. Há uma série de pagamentos em favor do advogado Marcelo Ellias: 50 mil dólares em 13 de julho de 2005, 200 mil em 5 de janeiro de 2006, 50 mil em 2 de fevereiro de 2006. De acordo com Angelo Jannone, outro funcionário da Telecom Italia, Marcelo Ellias era o canal usado pela empresa para pagar Luiz Roberto Demarco, aliado da Telecom Italia na batalha contra Daniel Dantas, e parceiro dos petistas que controlavam os fundos de pensão estatais.

Entre 11 de julho de 2005 e 6 de janeiro de 2006, Marco Bernardini deu dinheiro também à J.R. Assessoria e Análise. Em seu depoimento aos promotores públicos, Marco Bernardini disse que esses pagamentos eram redirecionados à cúpula da Polícia Federal. Paulo Lacerda e Zulmar Pimentel, números 1 e 2 da Polícia Federal, devem estar muito atarefados no momento, investigando a origem do dinheiro usado para comprar os

Vedoin. Mas quando sobrar um tempinho na agenda eles podem procurar seus colegas italianos.

Outro nome que está sendo investigado pela Justiça milanesa é Alexandre Paes dos Santos. Conhecido como APS, ele é um dos maiores lobistas de Brasília. Foi contratado pela Telecom Italia para prestar assessoria política. Segundo uma fonte citada pela revista *Panorama*, APS tinha de ser pago clandestinamente porque é cunhado de Eunício Oliveira. Na época dos pagamentos, Eunício Oliveira era o ministro das Comunicações de Lula, responsável direto pela área de interesse da Telecom Italia. Eunício Oliveira acaba de ser eleito deputado federal com mais de 200 mil votos. Lula já espalhou que, em caso de segundo mandato, ele é um forte candidato para presidir a Câmara. É bom saber o que nos espera.

A revista *Panorama* reconstruiu também um caso denunciado por *Veja*: aqueles 3,2 milhões de reais em dinheiro vivo retirados da Telecom Italia em nome de Naji Nahas. Um dos encarregados pelo pagamento conta agora que o dinheiro foi entregue a deputados da base do governo, do PL, membros da Comissão de Ciência e Tecnologia.

Lula se orgulha de seu prestígio internacional. Orgulha-se a ponto de roubar aplausos dirigidos ao secretário-geral da ONU. O caso da Telecom Italia permite dizer que o lulismo realmente ganhou o mundo. Em sua forma mais autêntica: o dinheiro sujo.

LULA, FREUD E DINHEIRO SUJO...

Estou todo embananado. Lula. Freud Godoy. Naji Nahas. Daniel Dantas. Telecom Italia. Telemig. Marcos Valério. Duda Mendonça. Delfim Netto. O que une um ao outro? O que é verdade? O que é mentira?

Ordenando os fatos:

1. A CPI dos Sanguessugas quer descobrir se Naji Nahas depositou 396 mil reais na conta da empresa do gorila particular de Lula, Freud Godoy.

2. Isso teria ocorrido em 5 de setembro, poucos dias antes de o comando da campanha de Lula ter sido flagrado tentando comprar o dossiê contra os tucanos.

3. O dinheiro que Naji Nahas teria repassado a Freud Godoy estava aplicado em cotas acionárias da Telemig. Até recentemente a empresa era controlada por Daniel Dantas.

4. A Telemig foi uma das maiores pagadoras de Marcos Valério.

5. Marcos Valério deu dinheiro a Freud Godoy.

6. Duda Mendonça tinha a conta de publicidade da Brasil Telecom, outra empresa controlada por Daniel Dantas.

7. Duda Mendonça também deu dinheiro a Freud Godoy. E recebeu ainda mais de Marcos Valério, lá fora.

8. Daniel Dantas e Naji Nahas trabalham juntos. Naji Nahas é o plenipotenciário da Telecom Italia no Brasil. Ele intermediou o acordo entre os italianos e Daniel Dantas.

9. *Veja* noticiou que, em maio de 2003, a Telecom Italia deu 3,2 milhões de reais em dinheiro vivo a Naji Nahas. O dinheiro foi entregue a deputados da base lulista, segundo fontes da própria Telecom Italia.

10. Aqui na coluna contei que Naji Nahas, em 2002, arrecadou dinheiro ilegal para a campanha de Lula. Na época, defini Naji Nahas como a figura mais extravagante do lulismo.

11. A ponte entre Naji Nahas e Lula era Delfim Netto. O mesmo Delfim Netto que, como declarou Lula na última terça-feira, não foi eleito por "vingança de um conjunto de elitistas, porque defendia a nossa política".

Perdeu-se? Eu também me perdi. Muitas perguntas precisam ser respondidas pela CPI dos Sanguessugas. O dinheiro que Naji Nahas supostamente entregou a Freud Godoy seria usado para comprar o dossiê? Quem era o dono do dinheiro? O próprio Naji Nahas ou um de seus empregadores? Qual é o elo com o valerioduto? Por que Freud Godoy recebe dinheiro de tanta gente?

Estou embananado. Mas todos os rastros, de 1 a 11, apontam para o mesmo lugar: o Palácio do Planalto. Os golpistas que tramaram contra os tucanos eram da turma do presidente. E tudo indica que o dinheiro que eles usaram veio de lobistas e empresários que tinham interesse no governo federal.

Lula disse: "Esse menino não tem nada a ver com isso." O menino, no caso, era Freud Godoy. Se Lula disse, uma certeza a gente pode ter: é mentira. O menino tem tudo a ver com isso.

No podcast, antecipei uma notícia que depois comentei na coluna da semana:

Até recentemente, acreditava-se que Freud Godoy havia sacado os 150 mil reais. Repetindo: sacado. Seu advogado, Augusto Arruda Botelho, indicado por Márcio Thomaz Bastos, participou da farsa. Ele chegou a confirmar o saque, com o argumento de que o dinheiro teria sido usado para "pagar equipamentos" da empresa de sua mulher, e que um saque daquele valor não era "tão incomum assim". Tudo mentira. Freud Godoy não sacou os 150 mil reais em dinheiro vivo. Não: ele os depositou na conta 97257313 da Caixa Econômica Federal de São Bernardo do Campo. É o que mostram os documentos bancários que o COAF encaminhou à Polícia Federal, e a que eu, parajornalista diplomado, Bob Woodward do Posto Oito e Meio, tive acesso.

LULA É O PT

O procurador-geral da República denunciou quarenta mensaleiros. O mais perto que ele chegou de Lula foi o 4º andar do Palácio do Planalto, ocupado por José Dirceu e seu bando. Agora ele terá de descer um lance de escadas e entrar diretamente no gabinete presidencial. Acompanhe-me, por favor. Cuidado com o degrau. Esta é a sala que pertencia a Freud Godoy, gorila particular de Lula. E aquela é a porta do escritório do presidente. Cerca de dez passos. Toc-toc-toc. Tem alguém aí? Lula saiu? A gente volta mais tarde.

Na última terça-feira, Garganta Profunda me passou os dados de um documento bancário de Freud Godoy, encaminhado pelo Coaf à Polícia Federal. Em 24 de março de 2004, ele depositou 150 mil reais na conta da empresa de sua mulher, Caso Sistemas de Segurança. Importante: 150 mil reais em moeda sonante. No documento bancário, Freud Godoy declarou que o dinheiro era fruto de "serviços prestados a clientes". Isso contradiz tudo o que ele alegou até agora. Num primeiro momento, disse que sacou os 150 mil reais para comprar equipamentos. Depois, informou que pediu um empréstimo a um amigo. Mentira. Não foi saque nem empréstimo: foi um depósito. O fato é que ninguém sabe de onde saiu tanto dinheiro e por que foi parar na conta do gorila particular de Lula.

Como Robert Redford em *Todos os homens do presidente*, arregacei as mangas da camisa e fui procurar respostas na capital federal. Pedi à CPI dos Correios para fazer o cruzamento dos dados do valerioduto com o depósito de Freud Godoy. Encontrei uma espantosa coincidência. Em 23 de março de 2004, um dia antes de Freud Godoy depositar 150 mil reais na conta de sua mulher, foram sacados 150 mil reais da conta da SMPB, de Marcos Valério, no Banco Rural. Tudo em moeda sonante. Tudo de origem desconhecida. O saque no Banco Rural foi feito pelo policial aposentado Áureo Marcato. Que voltou ao banco dois dias depois e sacou mais 150 mil reais. Onde foram parar?

Na época do depósito, Freud Godoy era assessor direto de Lula. Mas fazia um bico para o PT, montando o esquema de segurança de Delúbio Soares, que transportava malas de dinheiro sujo de um lado para o outro. Freud Godoy alugou para ele um carro blindado, comprou duas motocicletas para seus batedores e contratou uma escolta de seis policiais militares. Os 150 mil reais depositados na conta de sua mulher podem ter sido o pagamento pelo serviço. Os policiais contratados para escoltar o tesoureiro do PT contaram a *Veja* que Freud Godoy, entre outras coisas, era encarregado de organizar os encontros secretos entre Lula e Delúbio Soares. Pode-se imaginar o que eles discutiam.

Lula está praticamente reeleito. Os brasileiros o perdoaram. Mas a bandidagem da qual ele se cercou continuará a rondá-lo para sempre. É assim que será recordado. Por mais que tente se esconder, Lula é o PT. Lula é Delúbio Soares. Lula é Marcos Valério. Lula é o golpismo do mensalão e do dossiê Vedoin. Abra a porta, Lula. Toc-toc-toc.

Lula foi reeleito.

THOREAU CONTRA O LULISMO

O Brasil é ruim. Irá piorar.

Eu sempre acreditei nisso. Acredito cada vez mais. O Brasil já era ruim antes de Lula. Com ele ficou ainda pior. Ninguém conseguiu evidenciar nossa ruindade com tanta clareza quanto ele. E ninguém deu tanta garantia de que tudo iria piorar.

O homem certo para este momento é Henry David Thoreau. Leia Thoreau. Releia Thoreau. Declame Thoreau em voz alta. É o melhor remédio para todos aqueles que foram atropelados pelo lulismo triunfante.

Thoreau era um abolicionista americano. Ele rejeitava a escravidão embora a maioria dos eleitores de seu tempo a apoiasse. Em seu principal ensaio, *Sobre o dever da desobediência civil*, ele argumentou que há algo superior à vontade da maioria: é a moral de cada um. "Minha única obrigação é fazer em todos os momentos o que considero certo."

Mas recomendo Thoreau por outro motivo. Um motivo menor. Um motivo mais mesquinho. Recomendo-o apenas porque ele permite insultar pesadamente o eleitor mantendo uma certa pompa, um certo brilho. Thoreau disse: o eleitor é um cavalo. Ele disse também: o eleitor é um cachorro. Eu repito, citando Thoreau: o eleitor é um cavalo, o eleitor é um cachorro, o eleitor é um cavalo, o eleitor é um cachorro, o eleitor é um cavalo, o eleitor é um cachorro. Insulte o eleitor. Sem perder a pompa, sem perder o brilho.

Thoreau: Cavalo. Cachorro.

Thoreau defendeu o direito de repudiar a autoridade do governo. Eu sou o Thoreau dos pobres. O Thoreau bananeiro. Repudio a autoridade de Lula. Lula pode ser o seu presidente. Meu ele não é. Meu senso de moralidade é superior ao dele. Lula é o chefe de uma junta de golpistas. Referendá-lo significa referendar o golpismo. Cassei sua candidatura um ano e meio atrás. Unilateralmente. Ele que fique com seus doleiros, com seus laranjas, com seus lobistas, com seus assessores, com seus jornalistas, com seus mensaleiros, com seus filhos, com seus gorilas, com seus bicheiros.

A forma que Thoreau encontrou para repudiar a autoridade do governo foi simples e direta: recusou-se a pagar impostos por seis anos. Chegou a ser preso por causa disso. Só foi solto porque uma tia saldou seus débitos. A revolta fiscal é o melhor meio de protesto que há. Muito melhor do que passeata. Muito melhor do que comício. Quem gosta de muita gente aglomerada é lulista. Prefiro me reunir com meu contador em seu escritório mofado, arrumando maneiras mais eficientes para burlar o Fisco. Falta somente uma tia rica para me tirar da cadeia.

O lulismo precisa de dinheiro para funcionar. Dinheiro limpo e dinheiro sujo. Meu terceiro turno será combater a CPMF. Eu sei que é um combate pouco heróico. Mas alguém realmente esperaria gestos heróicos de mim? Abolindo a CPMF, sobrará menos dinheiro para financiar o golpismo lulista. E para comprar os eleitores.

Thoreau: Cavalo. Cachorro.

Imediatamente depois da vitória eleitoral, o lulismo partiu para a revanche.

O DELEGADO MOYSÉS

O delegado Moysés perseguiu *Veja*. Dei o troco. Persegui o delegado Moysés.

Moysés Eduardo Ferreira é diretor da Polícia Federal de Piracicaba. O chefe da PF paulista, Geraldo Araújo, disse que ele foi trazido de Piracicaba para conduzir o caso Freud Godoy "justamente para fazer uma investigação isenta, distanciada". Como assim? O delegado Moysés pode ser tudo, menos isento e distanciado.

O prefeito de Piracicaba é Barjas Negri, ministro da Saúde tucano, acusado pelos fabricadores do dossiê Vedoin de receber propina da máfia dos sanguessugas. O delegado Moysés é encarregado de investigá-lo. Como ele pode ser isento? Como ele pode ser distanciado?

Quando o delegado Moysés assumiu o comando da PF de Piracicaba, o prefeito da cidade era o petista José Machado. Um sempre apoiou o outro. Um sempre prestigiou o outro. José Machado é recordado sobretudo por sua sociedade com o antigo chefe de Freud Godoy, Celso Daniel, numa empresa de consultoria que foi denunciada pelo Tribunal de Contas do Estado por seus contratos irregulares com prefeituras petistas. José Machado é recordado também porque um dos principais operadores da máfia dos vampiros, o lobista Laerte Correa Júnior, foi preso pouco antes de pagar um fornecedor de sua campanha à prefeitura.

Mas há algo pior do que isso. Em sua defesa do delegado Moysés, o diretor-geral da PF, Paulo Lacerda, disse que ele tem "um compromisso com a verdade, sem partido". Paulo Lacerda está querendo enganar a gente. Ele sabe que o delegado Moysés pode ser tudo, menos apartidário. Quem o nomeou para a chefia da PF de Piracicaba foi Francisco Baltazar da Silva. Lembra-se dele? Francisco Baltazar é o predecessor de Geraldo Araújo no comando da PF paulista. Foi obrigado a se afastar do cargo depois de ser acusado de envolvimento com o doleiro Toninho da Barcelona, o chamado doleiro do PT. Francisco Baltazar trabalhou como gorila particular de Lula em quatro campanhas presidenciais, juntamente com Freud Godoy e José Carlos Espinoza. Em 2002, ele contratou o policial federal aposentado Gedimar Passos para ser guarda-costas de Lula. Isso mesmo, Gedimar Passos, aquele que foi preso com dinheiro para comprar o dossiê Vedoin e, antes de se retratar, denunciou Freud Godoy.

Como podem me acusar de tudo, menos de ser isento e distanciado, sugiro cruzar os números de telefone de Francisco Baltazar com os dados sobre as quebras de sigilo em poder da CPI dos Sanguessugas. Quem sabe aparece outro homem do presidente no golpe do dossiê.

A PF abafou o caso Freud Godoy. Agora o delegado Moysés foi chamado para abafar o abafamento, dando um aperto em *Veja*. O plano lulista para a imprensa já está traçado: encher de dinheiro público os cupinchas e calar todo o resto. Para o lulismo, jornalista bom é jornalista jabazeiro. Há muito jornalista jabazeiro por aí. Eu mesmo estou sendo processado por um monte deles. Se o plano falhar, o PT sempre pode recorrer ao delegado Moysés e sua turma. A milícia lulista está pronta para agir, com óleo de rícino para todo mundo. Até alguém morrer.

Uma fonte me contou que o arrendamento do Canal 21 pela Gamecorp envolvia o investimento de recursos publicitários estatais e de empresas ligadas aos fundos de pensão. Consultei o Ibope Monitor, que é especializado nesse tipo de levantamento.

LULA ENTENDE DE MATISSE

Entre Deus e Lula, Lula é melhor. Pelo menos para a Rede Bandeirantes. No começo do ano, o bispo R.R. Soares tentou comprar o Canal 21. A Bandeirantes preferiu ceder o negócio à Gamecorp, a empresa do filho de Lula. De lá para cá, segundo os dados do Ibope Monitor, os gastos em propaganda estatal na Bandeirantes aumentaram sem parar. Em 2005, foram 113,181 milhões de reais. Em 2006, só até setembro, atingiram 151,593 milhões de reais. Um salto de 40 milhões de reais. Quem precisa de Deus podendo contar com um parceiro desses?

É moleza manipular os números do mercado publicitário. Por isso a propaganda virou o instrumento ideal para a reciclagem de dinheiro sujo da política. Mas o fato é que o investimento do lulismo na Bandeirantes cresceu anormalmente qualquer que seja o critério adotado, tanto em cifras absolutas quanto no cotejo com as demais emissoras. Do total destinado pelo governo à propaganda televisiva, a fatia da Bandeirantes subiu mais de 50% de um ano para o outro. Considerando-se apenas o período de maio a setembro, depois que a programação do Canal 21 passou para o controle da empresa do filho de Lula, o crescimento foi ainda maior: 60%. Curiosamente, o único dado que permaneceu igual foi a audiência. Nesse ponto, a Bandeirantes ficou estacionada, como sempre.

Se o Brasil fosse menos bananeiro, a imprensa, os partidos políticos e a Justiça se perguntariam se há algum elo entre os negócios do filho do presidente e o aumento da propaganda estatal na emissora de seus parceiros. Como o Brasil é o que é, o assunto será ignorado. Mesmo que um dos maiores aumentos tenha ocorrido justamente na verba publicitária da Presidência da República, de responsabilidade direta do gabinete de Lula. Em 2005, a Bandeirantes recebeu 5,871 milhões de reais do Palácio do Planalto. Em 2006, até setembro, incluindo o período de recesso eleitoral, foram 10,28 milhões de reais. Quase o dobro.

A agência que cuida da publicidade da Presidência da República é a Matisse. A Matisse nasceu numa sala dos fundos da M7, a produtora de Kalil e Fernando Bittar, sócios do filho de Lula na Gamecorp. O mercado até suspeita que eles sejam sócios ocultos da agência. A verba que o gabinete de Lula destina à Matisse aumenta todos os anos. Foram 3 milhões e 687.812 de reais em 2003. 36 milhões e 941.315 reais em 2004. 37 milhões e 882.635 reais em 2005. 59 milhões e 858.210 reais em 2006. O número de 2006 reúne os gastos até setembro, mas o governo já autorizou um acréscimo de 37 milhões de reais para os últimos meses do ano. Entendeu o rolo? Lula dá cada vez mais dinheiro à Matisse, que dá cada vez mais dinheiro à Bandeirantes, que deu um canal ao filho de Lula.

O TCU acaba de apontar um buraco de mais de 100 milhões de reais na publicidade do governo federal. O ministro Ubiratan Aguiar chegou a defender o fim da publicidade institucional. Sorte de Lula o Brasil ser o que é.

A Rede Bandeirantes apresentou quatro denúncias contra mim. Em minha defesa, anexei as tabelas do Ibope Monitor com todos os dados citados no artigo.

Uma das tabelas que acabei excluindo da coluna mostrava o aumento exorbitante do investimento publicitário da Telemar na Bandeirantes depois que o Canal 21 foi arrendado pela Gamecorp.

Em 2005, segundo o Ibope Monitor, a Telemar investira 582,24 mil reais na Bandeirantes. Em 2006, até outubro, o investimento subira para 6,075 milhões de reais. Só para efeito de comparação, o gasto em publicidade da Telemar na Globo caiu cerca de 50% no mesmo período.

A Bandeirantes perdeu os processos.

MINO CARTA, O GRANDE

Não se aborreça com Diogo Mainardi, afinal o máximo que o cidadão produz com perfeição é paralisia cerebral.

O comentário foi publicado no *blog* de Mino Carta. Para quem não é afeito a sutilezas, refere-se à paralisia cerebral de meu filho. Na última semana, Mino Carta publicou 433 mensagens contra mim. De acordo com ele, outras 106, consideradas "inaceitáveis, prontas à agressão", foram eliminadas. A mensagem sobre meu filho foi uma das que Mino Carta aprovou pessoalmente e que o encheram de emoção, reverberando, segundo suas palavras, "na zona situada entre o coração e a alma, como um Stradivarius ou um Guarnieri del Gesù".

Mino Carta selecionou outras mensagens sobre meu filho:

Diogo Mainardi é um infeliz e digno de pena. Ter um filho deficiente dá mais pena ainda, porque isso fez dele uma pessoa amarga, invejosa e sem escrúpulos.

A opinião da leitora reflete exatamente a de Mino Carta. Em mais de uma oportunidade, na frente de amigos comuns, ele repetiu aos berros que recebi um merecido castigo quando tive um filho deficiente. Em seu *blog*, na segunda-feira, ele ampliou o conceito, fazendo considerações sobre aquele que seria meu "filho muito doente":

Meninos doentes me causam angústia e tristeza, [mas] não justificam calúnias dirigidas a esmo.

É um perfeito exemplo da grandeza moral de Mino Carta. Até hoje, por uma insuperável falha de caráter, fui incapaz de experimentar angústia e tristeza por causa de meu filho. Ele só me deu prazer e felicidade. Da mesma maneira que meu segundo filho só me deu prazer e felicidade. Filho é filho: com paralisia cerebral ou sem paralisia cerebral.

Mas o ponto que realmente me incomoda é outro. Mino Carta transformou uma questão pública numa questão particular. Não ligo para xingamentos. No próprio *blog* de Mino Carta, fui chamado de calhorda, canalha, sodomita, verme, nazista, psicopata, brinquedinho de Gore Vidal e excremento social. Um comentarista chegou a afirmar que recebi 500 mil reais para plantar notas favoráveis a Daniel Dantas. Estou acostumado a lidar com xingamentos. Fazem parte do trabalho. Compreendo até que ofendam meus filhos. Tanto um quanto o outro. Considero a ofensa pessoal um instrumento retórico legítimo. Não me queixo. Não me escandalizo. Não processo. Quem processa é Mino Carta, que corre para seu advogado choramingando toda vez que recebe um juízo depreciativo. Só não aceito que minha opinião política seja convertida em assunto familiar. Responsabilizar meu filho por meus atos é um gesto de pura poltronice intelectual.

Mino Carta representa o modelo de jornalismo que o governo Lula quer favorecer por meio de financiamento estatal. Sempre que o citei na coluna, associei-o à verba publicitária que o governo Lula destina à *Carta Capital*. Mino Carta garante que serve a Lula de graça. Assim como, por muitos anos, serviu a Orestes Quércia de graça. Deve ser angustiante e triste não ser recompensado por tanta serventia.

A IMPRENSA LUBRIFICADA

Quando a *IstoÉ* publicou a entrevista com o chefe dos sanguessugas, sugeri que ela poderia ser recompensada com anúncios da Petrobras. Ninguém deu bola para o assunto. Na ocasião, indiquei o nome dos intermediários: Hamilton Lacerda, assessor de Aloizio Mercadante, e Wilson Santarosa, diretor de *marketing* da Petrobras. Agora a CPI dos Sanguessugas revelou que os dois trocaram dezenas de telefonemas no período de negociação do dossiê contra os tucanos. A CPI quer saber se o dinheiro para comprar o dossiê saiu da Petrobras. É perda de tempo. O que a CPI deveria investigar é se o dinheiro da Petrobras foi usado para comprar a cumplicidade da *IstoÉ*.

Na última quarta-feira, encontrei mais um dado comprometedor para a Petrobras. Analisando os telefonemas de Hamilton Lacerda, em poder da CPI, descobri que ele recebeu uma chamada do celular de Dudu Godoy. Dudu Godoy é um dos sócios da Quê, a agência de propaganda que atende a Petrobras e controla a verba publicitária da empresa. O telefonema de Dudu Godoy para Hamilton Lacerda ocorreu em 5 de setembro, às 15:33. Dois dias depois, em pleno feriado de Sete de Setembro, Hamilton Lacerda foi à *IstoÉ* para combinar a entrevista com o chefe dos sanguessugas. Dudu Godoy fez carreira em Campinas, assim como Wilson Santarosa, que presidiu o sindicato dos petroleiros local. Em 1998, ele foi um dos marqueteiros da campanha de Lula à Presidência. A seguir, passou a trabalhar para Marta Suplicy e Zeca do PT. O que é que Dudu Godoy disse a Hamilton Lacerda? Ele propôs um pacote publicitário para a *IstoÉ*?

Um dos articuladores da entrevista com o chefe dos sanguessugas disse que a *IstoÉ* foi escolhida para publicá-la porque os petistas "estavam em guerra" com o resto da imprensa. Quem também está em guerra com o resto da imprensa é o presidente da Petrobras, José Sergio Gabrielli. Na semana passada, ele acusou o *Globo* e a *Folha* de praticar "jornalismo marrom". Isso porque os jornais ousaram publicar reportagens mostrando o favorecimento da estatal a ONGs e empreiteiras ligadas ao PT. *O Globo*, em editorial, atacou: "Nunca como no governo Lula a Petrobras foi tão usada como aparelho partidário e instrumento de propaganda."

O fato é que a Petrobras não favorece apenas ONGs e empreiteiras ligadas ao PT. Ela favorece também a imprensa caudatária do governo. De maio a setembro de 2006, segundo o levantamento de Reinaldo Azevedo, a *IstoÉ* veiculou 58 páginas de anúncios da Petrobras. Neste ano, pelos dados do Ibope Monitor, foram 2,6 milhões de reais investidos pela estatal na *IstoÉ*. *Carta Capital* lucrou ainda mais, proporcionalmente à sua tiragem. Foram 789 mil reais. Na TV aconteceu algo semelhante. A Bandeirantes, depois de ceder um canal ao filho de Lula, tornou-se a segunda maior arrecadadora de comerciais da Petrobras, na frente do SBT e da Record, faturando mais de 20% do total destinado pela empresa às emissoras de TV. Detalhe: o diretor de *marketing* da Petrobras, Wilson Santarosa, é também o presidente do conselho deliberativo da Petros, o fundo de pensão da Petrobras. Um de seus colegas na diretoria da Petros, Jacó Bittar, é o pai dos sócios do filho de Lula.

O petismo está em guerra com a imprensa. Esse negócio vai acabar mal.

Ao mesmo tempo que financiou veículos aliados ao governo, a Petrobras, uma empresa de capital aberto, que deveria cuidar apenas dos interesses de seus acionistas, ficou dois anos sem anunciar na maior revista do país, *Veja*, em retaliação por sua linha editorial.

PERGUNTE AO PÓ

Cheire pó. Quanto mais, melhor. Há um aumento da criminalidade no Rio de Janeiro. A polícia diz que é porque os ricos passaram a consumir menos drogas. A partir do momento em que os ricos passaram a consumir menos drogas, os traficantes pobres foram obrigados a recorrer a outros meios. Daí o atual aumento de assaltos, seqüestros e assassinatos, segundo a polícia.

Até outro dia se dizia o contrário. Dizia-se que era o consumo de drogas dos ricos que alimentava a criminalidade dos traficantes pobres. Se os ricos consumissem menos drogas, a criminalidade diminuiria. É complicado saber o que fazer. Se a gente cheira pó, metem bala na nossa cabeça porque a gente cheira pó. Se paramos de cheirar, metem bala porque paramos de cheirar. A única certeza é que os culpados somos sempre nós. E que uma bala atingirá nossa cabeça. É o catch-22 do socialismo moreno.

Na semana passada, assaltantes tomaram um prédio perto do meu. Fizeram reféns, esvaziaram apartamentos, espancaram moradores. Isso tudo só aconteceu, de acordo com o teorema da polícia, porque negligenciei a tarefa de cheirar minha cota social de cocaína, para redistribuir renda pelos morros cariocas. Os assaltantes enganaram o porteiro fazendo-se passar por oficiais judiciários. Coincidentemente, naquele mesmo dia, num intervalo de dez minutos, dois oficiais judiciários bateram à minha porta, porque fui denunciado por uns comparsas de Lula.

Lula? Sim, há Lula nessa história. Como em todas as outras. Muita gente reclama porque eu falo demais sobre ele. Está todo mundo cheio do Lula. Ninguém mais quer saber dele. E o segundo mandato ainda nem começou. Nos últimos dias, um leitor publicou até uma carta aberta na internet, pedindo-me a delicadeza de mudar de assunto. Compreendo perfeitamente o sentimento. Lula cansa, aborrece, enauseia. Só que ele é como droga. Se a gente a consome, se dana. Se pára de consumi-la, se dana do mesmo jeito.

Lula — o meu Lula — já não é mais o presidente Lula. É um estado mental. É o símbolo da nossa incapacidade de pensar direito. É o gremlin que emperra o país. Cedo ou tarde o presidente Lula será esquecido. Até mesmo por mim. Nem os lulistas se lembrarão dele. Porque ele é desimportante. Mas seu espírito atarantado continuará entre nós, com outro nome, com outra cara. Euclides da Cunha disse tudo o que era necessário dizer sobre a nossa raça. Lula — o meu Lula — é a mais perfeita síntese euclidiana. Ele representa o "temperamento delirante", o "senso moral deprimido", o "fetichismo bárbaro", a "servidão inconsciente", a "preguiça invencível", o "desequilíbrio incurável", a "fealdade", a "psicose coletiva", a "degenerescência intelectual" que nos impediu de viver "num meio mais adiantado".

Euclides da Cunha sentenciou: "Ou progredimos, ou desaparecemos." O Brasil o desmentiu: nem progrediu, nem desapareceu. Ficou parado numa "fase remota da evolução". Eu parei. Nós paramos. Lula parou. Para sempre.

No podcast:

Uma semana antes do acidente com o avião da Gol, liguei para o comandante da Aeronáutica, o brigadeiro Bueno. Perguntei-lhe a respeito de seu filho, que tem uma história peculiar. Ele foi mandado para a Casa Civil no começo do governo Lula. Era um dos técnicos do sistema de rastreamento satelitar da Amazônia. Depois de poucos meses de trabalho, começou a ficar incomodado com as práticas petistas. Fez um relatório para seus superiores, indicando irregularidades em contratos com uma empresa de tecnologia, Atech. A assessora jurídica da Casa Civil confirmou suas suspeitas. Assim como outro militar lotado no Palácio do Planalto, que encontrou indícios de fraude nos contratos assinados pelo governo.

Os petistas que cuidavam da área eram o chefe-de-gabinete de José Dirceu, Helio Madalena, o diretor de logística, Lino Borges, e o advogado Júlio Castro Cavalcante. Um dia, Helio Madalena procurou o brigadeiro Bueno e comunicou-lhe que seu filho seria afastado sumariamente da Casa Civil. Quem me relatou o episódio foi o próprio brigadeiro Bueno, em nosso telefonema. Perguntei ao brigadeiro Bueno se ele não se interessara em saber o motivo do afastamento de seu filho. Ele respondeu que não. Repeti a pergunta: "Seu filho estava sendo afastado do cargo e o senhor nem pediu uma justificativa ao Helio Madalena?" Ele respondeu, mais uma vez, que não. Por último, perguntei se seu filho, na época, informara-o a respeito de suas suspeitas acerca dos contratos assinados com a empresa de tecnologia. Ele respondeu novamente que não. Não, não e não.

PAULO FRANCIS E EU

Em 2007, fará dez anos que Paulo Francis morreu. Eu me encontrei com ele, pela última vez, dois meses antes de sua morte. Passamos o Natal juntos em Paris. Ele tinha acabado de resolver a pendenga judiciária com a Petrobras, que o processara por uma frase dita no programa *Manhattan Connection*. Em Paris, ele falou muito sobre o caso. Dizia-se aliviado e cansado. Elio Gaspari atribuiu sua morte ao imenso desgaste emocional sofrido durante o processo. Eu defendo a linha eliogaspariana. Acredito que Paulo Francis realmente morreu por esse motivo.

Como se sabe, eu sou o imitador barato de Paulo Francis. O que nele era tragédia, comigo se transformou em farsa. Estou sendo processado por um monte de gente ligada ao petismo. Num desses processos, a Brasil Telecom me apresentou como uma espécie de Marcola do parajornalismo, afirmando à autoridade judiciária que há 425 denúncias contra mim. O número foi ligeiramente inflacionado. Com isso não pretendo sugerir que a Brasil Telecom costuma inflacionar seus números, como aqueles oferecidos ao Citibank por sua cota na empresa. É bom que isso fique claro e que a Brasil Telecom me entenda, porque já tenho processos o bastante. O fato é que não há 425 denúncias contra mim. Atualmente, respondo a seis processos criminais e cerca de uma dúzia de cíveis. Um mais grotesco do que o outro. A Justiça sabe disso. Tanto que meu retrospecto legal é altamente positivo. Só nesta semana meus advogados ganharam duas causas. A grande vantagem de pertencer a um universo farsesco é que, ao contrário de Paulo Francis, não há a menor possibilidade de que eu morra por causa de meus processos. O pior que pode me acontecer é ter de viajar a São Paulo de dois em dois meses.

A tática de intimidar a imprensa por meio de processos judiciais foi testada pelos petistas no Rio Grande do Sul. O tema é tratado no livro de entrevistas *Vanguarda do atraso*, de Diego Casagrande. O jornalista José Barrionuevo foi denunciado 12, 13 vezes durante o governo Olívio Dutra, até ser condenado por uma estatal de energia. Políbio Braga foi obrigado a prestar depoimento numa delegacia de polícia. Em seguida, foi demitido da Bandeirantes e da *Gazeta Mercantil* porque o governo simplesmente cortou a publicidade destinada a esses veículos. Érico Valduga foi processado por delito de opinião, assim como Rogério Mendelski. No total, segundo o livro, uns vinte jornalistas foram perseguidos pelo petismo gaúcho, um número surpreendentemente grande, considerando a moralidade fluida da categoria. A gauchada é meio lenta. Levou alguns anos para aprender que os petistas mordem. Depois disso, livrou-se deles para sempre. O resto do Brasil é ainda mais lento do que o Rio Grande do Sul. Mas um dia aprende. Pavlovianamente. Cuidado. Os petistas mordem.

No podcast:

Já cumpri meu papel no jornalismo. Ninguém se recordará de mim por este ou por aquele artigo. Minha glória se dará em outro campo — no campo legal. Muito tempo depois de minha carreira como articulista, meu nome ainda irá reverberar nas aulas dos tribunais. Serei lembrado como um Larry Flynt da periferia. Larry Flynt tinha suas mulheres peladas. Eu tenho um bando de petistas peludos.

Em agosto do ano passado, o ministro Celso de Mello, do Supremo Tribunal Federal, julgou uma denúncia contra mim, apresentada depois que pedi o *impeachment* do Lula. A sentença está pendurada na parede do meu escritório. Ela defende o seguinte: "A liberdade de expressão e de crítica, cujo fundamento reside no texto da Constituição, assegura ao jornalista o direito de expender crítica, ainda que desfavorável e exposta em tom contundente e sarcástico, contra quaisquer pessoas ou autoridades. É preciso advertir, notadamente quando se busca promover a repressão penal à crítica jornalística, que o Estado não dispõe de poder algum sobre a palavra, sobre as idéias e sobre as convicções manifestadas pelos profissionais dos meios de comunicação."

FÁBULA CAPITAL

Arrumem outro colunista. Passei o ano tentando derrotar o Lula. Fracassei. Eu e mais quatro ou cinco panfleteiros da grande imprensa. Primeiro espalhamos que os petistas roubavam. Ninguém acreditou em nossa mentira. Depois lançamos a candidatura de Geraldo Alckmin, em vez de José Serra, embora o segundo aparecesse nas pesquisas com o dobro dos votos do primeiro. Quem eles pensam que a gente é? Eles pensam que a gente acredita em pesquisas compradas?

Engabelar os ricos é moleza. É o que demonstra a história da humanidade. Muito mais difícil é engabelar os pobres. Forjamos reportagens e mais reportagens. O eleitorado rico logo se rendeu a nós. O eleitorado pobre, dotado de maior discernimento, aquele mesmo discernimento que sempre o levou a fazer as escolhas certas, percebeu o engano e continuou fiel a Lula. Os mais obstinados foram os analfabetos, sobretudo os nordestinos, que se recusaram terminantemente a ler minha coluna e a votar em Geraldo Alckmin, mesmo que de nariz tapado. Quando percebemos que Lula venceria no primeiro turno, foi um corre-corre danado. Alguém sugeriu organizar um golpe. A proposta foi aceita unanimemente. Um de nós pensou em implicar o chefe da máfia dos sanguessugas. Passamos uns documentos falsos para os broncos do Palácio do Planalto e mobilizamos nossos agentes da Polícia Federal. Com o apoio do resto da imprensa, denunciamos os broncos do Palácio do Planalto e viramos o jogo na última semana de campanha eleitoral. O acidente da Gol, possivelmente engendrado pelo aparato petista, quase atrapalhou nossos planos, desviando o foco dos telespectadores. Mas reagimos a tempo e impedimos que o *Jornal Nacional* desse a notícia.

Lula ganhou mesmo assim. Apesar de nossas tramóias. Apesar de nosso golpismo. Luis Fernando Verissimo recriminou os ricos por se recusarem a ser governados pelos pobres. Eu sou o retrato disso. Jamais poderei me conformar à perda do poder, depois de quinhentos anos de supremacia incontrastada. Estou até respondendo judicialmente pelas calúnias que pronunciei contra os pobres membros da classe trabalhadora da Previ, da Petros e do Funcef. A Previ tem um patrimônio líquido de 100 bilhões de reais. O da Petros é de 30 bilhões. O do Funcef é de 25 bilhões. Fui acusado de ofender esses pobres trabalhadores de "forma covarde".

Que fique claro: nunca fui rico. Que fique igualmente claro: nunca mandei em ninguém. Mas os petistas garantem que sou a voz do dono. E o dono é rico e manda num bocado de gente. Se Carlos Heitor Cony até hoje é conhecido como Manchetinha, por ser a voz de Adolpho Bloch, eu devo ser o Abrilzinho. Falei com o dono da Abril apenas uma vez na vida, num almoço. Os temas tratados foram etimologia e Tiazinha. Mesmo assim, os petistas dizem que tento interpretar seus desejos e editorializá-los em minha coluna.

Eu e os outros panfleteiros da grande imprensa ficamos baqueados com a vitória esmagadora de Lula. Aguardem: um dia a gente volta.

PORCENTAGENS LULISTAS

Se Lula é o povo e o povo é Lula, é bom saber como pensa o povo. Alguns dias atrás, o Ibope divulgou que 71% dos brasileiros aprovavam Lula. Os lulistas comemoraram o resultado. Em dezembro de 1998, 58% dos brasileiros aprovavam Fernando Henrique Cardoso. O povo aprova o presidente. Quem quer que ele seja.

Outra pesquisa do Ibope indicou que 75% dos brasileiros podem ser considerados analfabetos, demonstrando incapacidade para compreender um enunciado simples. Na pesquisa anterior, o porcentual era ligeiramente maior: 76%. A escrita foi introduzida no Brasil há mais de quinhentos anos. Logo conseguiremos dominá-la.

Ao mesmo tempo que 75% dos brasileiros podem ser considerados analfabetos, 84% declararam estar satisfeitos ou muito satisfeitos com a qualidade do ensino público. 75% dos pais de alunos pediram apenas uma mudança no currículo escolar: o ensinamento do criacionismo no lugar do darwinismo.

O Ibope mostrou também que 96% dos brasileiros desconheciam o significado do termo holocausto. 37% declararam repudiar a idéia de ter um vizinho judeu. O número só foi inferior aos que disseram repudiar a idéia de ter um vizinho cigano — 51%.

Indagados sobre o meio de transporte mais seguro, 51% dos brasileiros escolheram o ônibus. Segundo uma pesquisa do SOS Estradas, os acidentes com ônibus matam cerca de 2.400 pessoas por ano no Brasil.

82% dos eleitores manifestaram seu descontentamento com a democracia. A maior parte deles se encontrava no Nordeste, nas camadas de menor escolaridade e renda. De acordo com os dados do Ibope, 83% dos brasileiros se consideraram satisfeitos ou muito satisfeitos com a vida. O número é duas vezes maior do que o total de pessoas atendidas pela rede de esgoto — 40%. Há felicidade sem esgoto.

Uma pesquisa realizada entre os leitores de *Época* elegeu Chico Xavier como o maior brasileiro de todos os tempos.

Pela primeira vez em 14 anos, aumentou o trabalho infantil no Brasil. Segundo a mais recente pesquisa do Pnad, o total de crianças empregadas passou de 7,33% em 2004 para 7,8% em 2005. Ignora-se se elas estavam entre os 89% de brasileiros otimistas ou muito otimistas quanto a 2007.

Lula é o povo. O povo é Lula. Os lulistas recomendam que a imprensa siga o povo. Seguindo o povo, ela seguirá Lula. O lulista Bernardo Kucinski argumentou: "Os colunistas se engajaram ativamente na campanha contra Lula. Isso é um fato. Lula foi eleito por ampla maioria. É outro fato. E os dois fatos apontam para um descolamento dos colunistas em relação ao sentimento da maioria da população."

Nestes tempos de lulismo, estou cada dia mais incapaz de entender um enunciado simples.

Retrospectiva de 2006.

O HOMEM DO ANO

Márcio Thomaz Bastos. O Homem do Ano. A gente tinha uma democracia torta. Ficou ainda mais torta. A gente tinha um pé na ilegalidade. Agora se rendeu a ela. A gente tinha um embrutecimento institucional. Piorou.

Siga Márcio Thomaz Bastos. Com cautela. Acompanhe o que fez o nosso Homem do Ano em 2006. Passo a passo. De intriga em intriga. De janeiro a dezembro. Ele foi o túnel que o extremismo petista escavou para fugir da cadeia. Ele foi a lima escondida dentro do bolo.

Em janeiro, Márcio Thomaz Bastos encaminhou a Lula um projeto de lei que impedia a imprensa de divulgar o conteúdo de grampos telefônicos.

Em fevereiro, ele foi acusado de retardar a entrega do laudo técnico que atestava a falsidade da lista de Furnas, envolvendo políticos do PSDB e do PFL.

Em março, quando foi violado o sigilo do caseiro Francenildo Costa, ele montou a estratégia de acobertamento de Antonio Palocci.

Em maio, Márcio Thomaz Bastos apareceu numa lista de hierarcas petistas com contas bancárias em paraísos fiscais, juntamente com Lula, José Dirceu, Luiz Gushiken e Antonio Palocci. A lista foi passada a *Veja* por Daniel Dantas.

Aqui a retrospectiva de Márcio Thomaz Bastos cruza com a minha. Testemunhei a entrega da lista a *Veja*. Segui de perto todos os seus desdobramentos. Eu sempre acreditei que o ministro partiria para o ataque contra Daniel Dantas. Em vez disso, Márcio Thomaz Bastos preferiu reunir-se secretamente com ele, na casa do senador Heráclito Fortes. Perguntei a Heráclito Fortes como foi o encontro. Ele respondeu: "Daniel Dantas estava com medo do governo e o governo estava com medo de Daniel Dantas." Medo?

Em julho, ele responsabilizou as prefeituras do PSDB e do PFL pela máfia das ambulâncias.

Em agosto, ele prometeu acabar com os ataques do PCC em 72 horas. Depois disso, deu um depoimento a favor de Aloizio Mercadante em seu programa eleitoral.

Em setembro, estourou o caso do dossiê contra José Serra. Desde o primeiro momento, Márcio Thomaz Bastos tratou de proteger a candidatura de Lula. Um delegado da Polícia Federal foi afastado do caso, as fotografias do dinheiro foram censuradas, um advogado ligado a ele foi acionado para defender Freud Godoy.

Em 22 de setembro, Márcio Thomaz Bastos garantiu que a origem do dinheiro para comprar o dossiê "estava praticamente esclarecida". Em 16 de novembro, quando o caso já estava devidamente abafado, o nosso Homem do Ano disse que "era preciso ver se o fato realmente tinha uma grande gravidade".

Márcio Thomaz Bastos está se despedindo do governo. A gente vai levar uns trinta anos para se recuperar de sua passagem pelo poder.

2007

O GANDHI DO DORMONID

— O Diogo está dormindo.

Quem me telefonou nas últimas semanas ouviu essa frase. Tenho dormido muito. Durmo antes do almoço. Durmo depois do almoço. Cochilo meia hora no fim da tarde. Durmo profundamente a noite toda.

A idéia é transcorrer os quatro anos do segundo mandato lulista na cama. A lógica é simples: uma hora a mais de sono significa uma hora a menos de Lula. Minha resposta particular ao petismo é a narcolepsia. No primeiro mandato, antagonizei o regime com um monte de palavras, um monte de artigos, um monte de denúncias. No segundo mandato, pretendo trocar o teclado do computador pelo pijama, o discurso inflamado pelo zunido do aparelho de ar refrigerado, os perdigotos coléricos pelo fiozinho de baba escorrendo delicadamente pelo canto da boca.

A partir de agora, meu lema é oposição REM. Os petistas roubaram? Sono neles! Os petistas compraram o Ceará? Apague a luz! Os petistas querem calar a imprensa? Cortina blecaute! Os petistas entraram com mais um processo contra mim? Zzzzzzz! Ninguém me tira da cama. Ninguém me faz abrir os olhos. Quero hibernar até o fim do inverno petista. Sou o Zé Colméia do antilulismo. O sono natural é o melhor de todos, o mais nobre, o mais elevado. Por maior que seja meu empenho, no entanto, nem sempre é possível obtê-lo. No ataque morfético contra o petismo, todas as armas devem ser admitidas. Vale o sono natural, mas vale também o sono induzido. O maior aliado do oposicionismo comatoso é um criado-mudo abarrotado de hipnóticos e de ansiolíticos. O que importa é o resultado.

O que importa é conseguir dormir pelo maior número de horas, seja durante o dia, seja durante a noite, a despeito da zoeira lulista, da britadeira lulista, da sanfona lulista.

Grandes figuras do passado resistiram às arbitrariedades dos governos com um comportamento passivo. Escolheram enfrentar a violência com a não-violência. A agressão com a não-agressão. Meu novo modelo é esse. Durmo. Durmo o tempo inteiro. Durmo em todas as circunstâncias. Tornei-me o Mahatma Gandhi do Dormonid.

Nas últimas semanas, o Brasil revelou toda a sua desavergonhada vagabundice. Um depois do outro, os fatos mostraram como somos ordinários, como somos baratos, como somos atrasados. Os mensaleiros reeleitos. O acidente da Gol. Os perigos do tráfego aéreo. A paralisia dos aeroportos. O aumento do salário mínimo. O aumento do Judiciário. O aumento dos deputados e dos senadores. A barganha por cargos. Arlindo Chinaglia. Aldo Rebelo. Os atentados no Rio de Janeiro. A incapacidade de reagir contra os criminosos. Os mortos em enchentes. Os desastres ambientais.

Isso tudo dá sono. O terceiro-mundismo dá sono. O bananismo dá sono. Quando sinto sono, eu durmo. Pode telefonar para minha casa a qualquer hora do dia. Quem atender dirá:

— O Diogo está dormindo. E pediu para ser acordado só daqui a quatro anos.

OS BANDIDOS E A CPMF

Aconteceu alguns dias antes do Natal. Bandidos armados e encapuzados invadiram a chácara de Luiz Gushiken em Indaiatuba e roubaram 10 mil reais em dinheiro, além de computadores, jóias e, de acordo com a polícia, uma quantia não especificada em dólares.

Eu me pergunto: quanto pode ser uma quantia não especificada em dólares. 315? 3.150? 31.500? Quanto? Nos últimos anos, os petistas se acostumaram a lidar com grandes valores. 315.000 dólares?

Eu me pergunto também o que há para comprar com dólares em Indaiatuba. O Mercadinho dos Sapatos negocia em dólares? A Sorveteria San Remo negocia em dólares? A Loja Picapau negocia em dólares?

Luiz Gushiken deve ser dos meus. Deve fazer tudo para sonegar a CPMF. Só isso justificaria aqueles 10 mil reais em dinheiro. Luiz Gushiken é um desobediente fiscal. Eu já disse que os petistas se acostumaram a lidar com grandes valores. Eles se acostumaram também a pagar a todos os seus fornecedores por fora, como ficou amplamente demonstrado durante a crise de 2005.

Se eu pudesse, faria como Luiz Gushiken e guardaria todo o meu salário em casa, em moeda sonante, subtraindo do governo o imposto que ele embolsa sempre que tenho de movimentar minha conta bancária. Só que eu não posso fazer isso. Porque aqui há uma enorme quantidade de bandidos armados e encapuzados, que invadem nossas casas e levam tudo embora, tanto os reais quanto as quantias não especificadas em dólares, como aconteceu com o heróico desobediente fiscal Luiz

Gushiken. De certa maneira, os bandidos armados e encapuzados trabalham para o governo. Eles asseguram que nenhum de nós jamais poderá escapar da CPMF e de outros impostos. Os bandidos armados e encapuzados agem como fiscais da Receita informais. Uma mente um pouco mais perturbada do que a minha poderia até desconfiar de que o governo descuida deliberadamente da segurança pública porque ela representa uma importante garantia de arrecadação fiscal.

O governo federal acaba de divulgar que sua arrecadação de impostos subiu 4,45% em 2006. Atingiu o maior nível de sua história. Assim como já havia atingido o maior nível de sua história em 2005.

Parte do dinheiro arrecadado será restituída a partir deste ano. É o que prevê o PAC, o plano de aceleração da economia do Lula. O dinheiro não será restituído a mim. Não. Continuarei pagando igual. Talvez até mais, porque assim eu paro de ser besta. O dinheiro será repassado a alguns setores da economia escolhidos a dedo por Lula, sob a forma de benefícios fiscais. É o que se chama de política industrial. Em vez de tomar dinheiro de um e distribuir a todos, Lula toma de todos e distribui a um.

Eu já subsidiei usineiros pernambucanos, industriais amazonenses e cineastas gaúchos. Agora decidiram que eu tenho de subsidiar a indústria calçadista, as tecelagens e os fabricantes de TV digital, como se isso bastasse para competir com a China.

Por falar em China, quanto ele tinha em Indaiatuba? 3.150.000 dólares?

Luiz Gushiken me processou.

OS CÃES DE GRAVATA

Cada um escolhe seu próprio inimigo. O meu morreu no mês passado, aos 95 anos. Era Joseph Barbera, um dos fundadores dos estúdios Hanna-Barbera. No começo de janeiro, morreu também um de seus principais colaboradores, Iwao Takamoto, criador do Scooby-Doo. Estou com sorte. Livrei-me de dois inimigos em menos de um mês.

Atribuo grande parte do meu fracasso pessoal aos desenhos animados de Hanna-Barbera. O fato de ter assistido a todos os episódios dos Herculóides, da Tartaruga Touché e dos Flintstones comprometeu meu futuro. O dano causado por horas e horas de Space Ghost, de Wally Gator e de Jonny Quest foi definitivo. Muitas de minhas falhas intelectuais e de personalidade podem ser imputadas a eles. De nada adiantou ler Montaigne mais tarde. No deserto mental provocado por Frankenstein Júnior, pelos Irmãos Rocha e pela Formiga Atômica, Montaigne simplesmente não frutifica.

Até a década de 1960, um episódio de Tom e Jerry ou de Pernalonga era feito com algo entre 25 mil e 40 mil desenhos. Joseph Barbera e seu sócio bolaram um jeito de produzir suas séries com menos de 2 mil, abatendo seus custos. A técnica recebeu o nome de "animação limitada". Os personagens permaneciam estáticos. A única parte de seu corpo que se movia era a cabeça, que pulava compulsivamente da direita para a esquerda, ora com a boca fechada, ora com a boca aberta. Para facilitar o corte, todas as figuras tinham o pescoço encoberto por um colarinho ou por uma gravata. Nos desenhos da Hanna-Barbera, sempre há um cachorro de gravata, um super-herói de gravata, um dinossauro de gravata. As paisagens sofreram o mesmo tratamento reducionista. Os personagens dos desenhos de Hanna-Barbera habitam um mundo claustrofobicamente circular. De dois em dois segundos eles passam pela mesma pedra, pelo mesmo veículo espacial, pelo mesmo homenzinho careca e bigodudo de terno azul. A angústia de pertencer a um universo que se repete continuamente só é superada pelo fato de que ninguém se dá conta disso. Maguila, Simbad Júnior e os Brasinhas do Espaço parecem desprovidos de memória. As tramas também se repetem de uma série para a outra. Muda apenas o mote de cada personagem, a sua frase característica, como "Saída pela esquerda", "Shazam!" ou "Oh, querida Clementina", recitada por um mau dublador.

Joseph Barbera e Iwao Takamoto empobreceram minha vida. Assim como empobreceram a vida de todos os meus contemporâneos. Há fases em que a humanidade melhora e há fases em que ela piora. Nada representa com tanta clareza o barateamento intelectual do nosso tempo quanto os desenhos animados de Hanna-Barbera. Cada quadro economizado por eles significou para nós uma idéia a menos, um pensamento a menos, uma sinapse a menos. Os pioneiros de Hanna-Barbera acabam de morrer, mas nossa época está irremediavelmente perdida. O único consolo é que esquecemos a miséria em que vivemos de dois em dois segundos.

DIOGUILDO QUE SE CUIDE

— Meu telefone deve estar grampeado.

É o que eu sempre digo aos meus interlocutores. Até mesmo quando se trata da professora de música do meu filho:

— A aula é quarta-feira às 9:00.

— Meu telefone deve estar grampeado.

— ...

— Tome cuidado.

A suspeita de estar sendo grampeado aumentou muito na semana passada. Luiz Gushiken mandou uma carta ao diretor da Polícia Federal, Paulo Lacerda, pedindo "medidas policiais" contra mim. O que isso significa? Escutas legais? Escutas ilegais? Quebra do sigilo bancário? Francenildo e Dioguildo?

Meu crime, segundo Luiz Gushiken, foi ter comentado numa coluna o assalto que ele sofreu em Indaiatuba. Isso demonstraria que sou membro de uma rede criminosa especializada em fabricar mentiras a seu respeito. Supostamente, o financiador dessa rede criminosa seria o banqueiro Daniel Dantas. O mesmo Daniel Dantas que eu acusei um monte de vezes de estar metido com o PT.

Mas o caso é ainda mais intrigante. Depois de mandar a carta ao diretor da Polícia Federal, Luiz Gushiken tomou a iniciativa de encaminhá-la a Paulo Henrique Amorim, que prontamente a publicou em sua página no iG, com o consentimento do autor. O petismo é misterioso. Se Luiz Gushiken de fato quisesse que a Polícia Federal investigasse minhas atividades secretas, qual o sentido de me alertar publicamente por meio de um garoto de recados? Desconfio que seu plano fosse outro. Em meados do ano passado, a magistratura italiana passou a se interessar pelos negócios clandestinos da Pirelli e da Telecom Italia. Muita gente foi parar na cadeia. Algumas das principais testemunhas confessaram que as duas empresas pagaram homens públicos no Brasil. Telefono praticamente todos os dias aos meus informantes italianos para saber detalhes sobre os pagamentos. Quem recebeu o tutu? Quanto? Quando? Onde?

Um dos envolvidos nessa história é Luiz Roberto Demarco, criador da loja virtual do PT e aliado de Luiz Gushiken na disputa comercial contra Daniel Dantas. É complicado saber o que passa pela cabeça de um petista, ainda mais um petista acuado. Se fosse para arriscar um palpite, eu diria que Luiz Gushiken teme ser associado de alguma maneira às denúncias vindas da Itália. Ao espalhar que eu e outros jornalistas fabricamos mentiras "com a finalidade de atingir a honorabilidade de sua pessoa", ele estaria tentando se antecipar aos eventos. Repito: é só um palpite.

O fato é que Luiz Gushiken acredita estar num estado policial. Para investigar alguém, basta ele querer, basta ele mandar. Talvez seja assim mesmo. O Brasil aceitou o acobertamento de todos os crimes de sua classe política. Se é para acobertar, é para acobertar até o fim. O Dioguildo que se dane.

E AINDA FAZEM CARNAVAL?

Dum. Dum-dum. Dum dum-dum dum-dum. O que é isso? Tem gente sambando nas ruas do Rio de Janeiro? As mesmas ruas pelas quais os assassinos arrastaram aquele menino de 6 anos? A primeira medida a ser tomada pelo poder público deveria ter sido cancelar o Carnaval, decretando luto oficial.

Lula comentou o crime:

— Isso não está no racional da humanidade e do mundo animal. Está no irracional da humanidade e do mundo animal.

Lula tem o direito de achar que seu cachorro Galego é mais racional do que qualquer um de seus ministros. Acredito que seja mesmo. O que ninguém pode aceitar é que ele transforme em chanchada uma tragédia desse tamanho. Ele degrada a morte do menino carioca com suas galhofas momescas.

Depois de discorrer sobre a origem do mal no mundo animal, como uma Hannah Arendt dos quadrúpedes, Lula recomendou que os parlamentares agissem com "cautela", com "serenidade", ignorando o clamor popular e o clima "passional" que se criou em torno do episódio. Isso significa que deputados federais e senadores podem fazer um pouco de jogo de cena agora, propondo medidas contra a criminalidade, mas, assim que a morte do menino sair do noticiário, tudo voltará a ser rigorosamente como antes. Desde que Lula foi eleito, cerca de 200 mil pessoas foram assassinadas no Brasil. Uma a mais, uma a menos, tanto faz.

Uma das propostas que Lula rejeitou foi diminuir a maioridade penal para 16 anos. Está certo. Melhor diminuí-la para 14 anos. Ou 10. Ou 7. Mas o fato é outro. Dos cinco acusados pela morte do menino carioca, só um era menor de idade. A gente precisa prender os menores de idade. A gente precisa prender também os maiores de idade. E sobretudo: impedir que eles sejam soltos. Os criminalistas do petismo argumentam que é bobagem aumentar o tempo de cadeia dos bandidos. O que realmente conta, segundo eles, é que um criminoso tenha a certeza de que será pego. Isso é uma afronta à memória do menino assassinado. O chefe da quadrilha que cometeu o crime foi preso seis vezes nos últimos anos, e em todas elas o sistema judicial o soltou. Antes e depois que ele atingisse a maioridade. Quando ocorreu o crime, o petismo imediatamente responsabilizou a polícia. Ela merece ser responsabilizada porque tem antecedentes de roubo, achaque e morte. Mas no caso do menino assassinado a polícia fez e refez seu trabalho direitinho, oferecendo a certeza de que o criminoso seria capturado. Aplauso para a polícia. A falha foi do Código Penal, que libertou um condenado que tinha de continuar na cadeia.

A única resposta que poderíamos dar ao menino assassinado seria prender a bandidagem por mais tempo, abolindo a liberdade condicional e torpedeando o instituto da progressividade da pena, tanto para os crimes hediondos quanto para os crimes comuns. Crime é crime: todos devem ser punidos com o mesmo rigor. Se o chefe da quadrilha que roubou o carro tivesse ficado na cadeia até o fim de sua última pena, o menino ainda estaria vivo. Mas essa é uma causa perdida. O cachorro Galego é contrário. E é ele quem manda. Dum dum-dum dum-dum.

IA SER DRÁSTICO, MAS IA SER LEGAL

Luana Piovani foi ao Sambódromo. Festejou a noite toda. Depois declarou que se sentia quase culpada por estar se divertindo em meio às notícias sobre o assassinato do menino carioca. Ela até comentou minha coluna da semana passada, em que eu pedia o cancelamento do Carnaval:

— Ia ser drástico, mas ia ser legal.

Nizan Guanaes mandou espalhar cartazes pelo Rio de Janeiro. Os cartazes dizem: "Um garoto de 6 anos foi arrastado cruelmente por sete quilômetros. E aí... Nós não vamos fazer nada?". O publicitário esclareceu o sentido de sua campanha. Para ele, só há uma maneira de acabar com a criminalidade:

— É a sociedade que tem que resolver isso.

Luana Piovani está errada. Nizan Guanaes está errado. Quem tem de se sentir culpado pelo assassinato do menino carioca é o Estado. Quem tem de fazer algo contra a criminalidade é o Estado. Por mais que Luana Piovani e Nizan Guanaes esperneiem, por mais que Kelly Key chore, por mais que a sociedade se mobilize, o Estado continuará a tolerar os criminosos.

Lula sempre foi claro quanto a isso. Em 2003, durante uma onda de atentados do crime organizado, ele afirmou que, em vez de subir os morros à procura dos bandidos, a Polícia deveria vasculhar as coberturas das grandes cidades, onde estariam escondidos, segundo ele, "os verdadeiros culpados".

Na época, notei que o próprio Lula era dono de uma cobertura, adquirida de maneira nebulosa alguns anos antes. Para quem se interessar pelo assunto, recomendo as reportagens de Luiz Maklouf Carvalho que tratam dos negócios de Roberto Teixeira com o presidente e com as prefeituras do PT. Mas o fato é outro. O fato é que, para Lula, o pobre que rouba um Corsa nunca poderá ser plenamente responsabilizado por seu crime. O culpado — o verdadeiro culpado — é o proprietário do Corsa.

Os criminosos têm de ser enfrentados com mais policiamento, com mais armas, com mais cadeias, com penas mais duras, com mais tecnologia. O resto é lulice. Quem atribui à sociedade um papel na luta contra o crime só está acobertando o poder público. E o poder público já escolheu seu lado. É o lado de lá. É o lado do inimigo. O que aconteceu nas últimas semanas, desde que o menino carioca foi morto? Os prefeitos se mexeram? Os governadores se mexeram? O presidente se mexeu? Ninguém se mexeu.

Lula já deu seu palpite sobre a maioridade penal. Eu quero saber o que ele pensa a respeito de algo mais prático, mais elementar, como o uso de tornozeleiras eletrônicas. É bom? É ruim? Outro exemplo: 30% da cocaína que passa pelo Brasil vem da Bolívia. Nós acabamos de dar um monte de dinheiro aos bolivianos: 100 milhões de dólares ao ano. O que Lula acha de exigir uma contrapartida de Evo Morales, condicionando a esmola da Petrobras à luta contra os produtores de droga?

Ia ser drástico, mas ia ser legal.

AGORA ME ACUSAM DE ANTINORDESTINO

O Ministério Público Federal me acusa de preconceito contra os nordestinos. Quer tomar de mim 200 mil reais. E mais 200 mil reais de cada um dos meus empregadores. Meu crime foi ter escrito numa coluna de *Veja*:

> *José Eduardo Dutra fez carreira como sindicalista da CUT e senador do PT pelo estado de Sergipe. Não sei o que é pior.*

Isso foi em janeiro de 2005. Na época, José Eduardo Dutra era presidente da Petrobras. A mesma Petrobras que agora aparece no *site* do Ministério Público de Sergipe anunciando a inauguração de uma escola e de um reservatório de água.

De acordo com a denúncia do procurador da República, "a ambigüidade da última frase apenas demonstra a intenção de espezinhar os sergipanos, também nordestinos e objeto do preconceito do sr. Mainardi". O procurador da República pode me acusar do que ele quiser, menos de ser ambíguo. Há quatro anos espezinho a CUT e o PT. Repetidamente. Monotonamente. Eu lhe garanto que mencionei o pujante estado de Sergipe somente porque José Eduardo Dutra foi eleito pelo pujante estado de Sergipe.

Mas o Ministério Público Federal colheu mais provas contra mim. No *Manhattan Connection* de março de 2005, fiz o seguinte comentário:

> *Lula é um oportunista. Quer dizer, uma semana ele concede a exploração de madeira, na semana seguinte ele cria uma reserva florestal grande como Alagoas, Sergipe, sei lá eu... por essas bandas de onde eles vêm.*

Eu admito o gaguejamento. Eu admito que chamei Lula de oportunista. Eu admito que, privadamente, costumo referir-me a ele com termos bastante mais impróprios. Eu admito até mesmo um imperdoável desconhecimento em matéria de geografia nordestina. O que nunca poderei admitir é preconceito. O Ministério Público pediu um parecer sobre o assunto ao antropólogo Jorge Bruno Sales Souza. Ele sentenciou: "De uma rápida leitura do referido trecho do programa fica patente a intenção do jornalista de menosprezar as pessoas oriundas da região Nordeste do país." Uma rápida leitura? Qual a pressa?

Outro eminente pensador citado pelo Ministério Público foi Max Weber. Fica-se com a impressão de que ele é reconhecido como autor de estudos seminais sobre o preconceito contra os nordestinos, em particular contra os sergipanos, como no trecho: "As ciências sociais caracterizam-se por não produzir categorizações universais com *status* de verdade, antes produzem reflexão e compreensão (*Verstehen*)."

Com ou sem *Verstehen*, o fato é que o procurador sentiu a necessidade de apimentar sua denúncia, talvez por considerar que minhas duas referências a Sergipe não eram suficientemente incriminatórias. Para me caracterizar como antinordestino e anti-sergipano, ele deu uma voltinha no Google e encontrou uma velha coluna minha sobre Cuiabá. Eu posso ser burro em matéria de geografia nordestina, mas até onde eu sei Cuiabá fica longe, muito longe de lá.

O procurador da República, na carta citatória, cita os versos de Patativa do Assaré: "Seu dotô me dê licença / Pra minha história eu contá." Eu também acabo de contar a minha história. É a história de um país indo para o beleléu.

No podcast:

O acidente da Gol matou 154 pessoas. Os oposicionistas pediram uma CPI para descobrir as causas do acidente. O PT tratou de afundá-la. Se falhas técnicas ocasionarem outro acidente, a culpa será do PT. Se mais pessoas morrerem, a culpa será do PT.

Quando Franklin Martins foi nomeado para o ministério de Lula, resolvi me vangloriar recordando o que havia escrito sobre ele.

MINHA PASTINHA IMPLACÁVEL

Lula ofereceu um cargo a Franklin Martins. Lembra-se dele? Eu tenho uma pastinha para cada um dos meus processos. A pastinha de Franklin Martins é uma das mais espessas, porque ele me processou duas vezes. Na semana passada, quando Lula o convidou para integrar o ministério, com a tarefa de cuidar da imprensa e da propaganda do governo, abri a pastinha e comecei a recapitular meu caso com ele.

O primeiro confronto ocorreu em 7 de dezembro de 2005. A data é importante. Àquela altura, já sabíamos que Lula conseguiria abafar as denúncias contra o governo. Para isso, ele podia contar com oposicionistas, magistrados, policiais, artistas, publicitários, banqueiros e doleiros. Ele podia contar também com a cumplicidade de um monte de jornalistas. Fiz uma coluna identificando aqueles que me pareciam ser os maiores acobertadores do lulismo na imprensa. Um deles era Franklin Martins, que defini como "José Dirceu até a morte".

Retomei o assunto algum tempo depois, em 19 de abril de 2006, em meio ao caso Francenildo. Franklin Martins era comentarista do *Jornal Nacional*. Mais ainda: ele era diretor da sucursal brasiliense da Rede Globo, responsável pela cobertura política da maior emissora do país. Na ocasião, acusei-o de promiscuidade com o poder, argumentando que seu irmão fora indicado diretamente por Lula para uma diretoria da Agência Nacional do Petróleo (ANP).

Em sua resposta, publicada na internet, Franklin Martins me acusou de ser um "difamador travestido de jornalista". Ele negou ter pedido votos aos senadores em favor de seu irmão. Negou também que sua mulher, Ivanisa Teitelroit, trabalhasse para o governo em cargo comissionado, outro ponto citado no meu artigo. Mas Franklin Martins se estrepou. Eu tinha uma cópia do Boletim Administrativo do Pessoal, que ainda guardo em minha pastinha:

> RESOLVE nomear, na forma do disposto no Inciso II do artigo 9º da Lei nº 8.112, de 1990, IVANISA MARIA TEITELROIT DE SOUZA MARTINS para exercer o cargo, em comissão, de Assistente Parlamentar, AP-1, do Quadro de Pessoal do Senado Federal, com lotação e exercício no Gabinete da Liderança do Governo.

O documento o desmentia integralmente. Em primeiro lugar, sua mulher foi contratada, em cargo comissionado, para o gabinete do líder do governo no Senado. Em segundo lugar, se Franklin Martins nunca tratou da ANP com os senadores, sua mulher tratou, porque naquele período ela já era assessora de Aloizio Mercadante. Alguns dias depois de ser nomeada assistente parlamentar, ela foi promovida a secretária parlamentar, com um ligeiro incremento salarial. Permaneceu no cargo durante a CPI dos Correios, ajudando Lula a enterrar a crise.

A Globo demitiu Franklin Martins. José Dirceu se declarou "estarrecido" e me chamou de "pistoleiro sem credibilidade". Franklin Martins ficou esquecido até a semana passada, quando Lula premiou sua lealdade oferecendo-lhe o cargo de ministro. Sua pasta poderá reunir a secretaria de imprensa e a Secom, que controla a verba de propaganda do governo. Até hoje, as duas áreas sempre foram prudentemente separadas. Se tudo se confirmar, Franklin Martins terá o poder inédito em nossa história de fornecer a notícia e de pagar por ela. Isso dá uma idéia do grau de verdade, de confiabilidade e de rigor moral que Lula pretende conferir ao segundo mandato. Agora já posso fechar minha pastinha.

Continuei a usar o podcast para dar algumas notícias inéditas:

Carlos Wilson é um deputado petista. Foi presidente da Infraero no primeiro mandato de Lula. Desde que o TCU passou a esquadrinhar as contas da Infraero, seu nome é associado à suspeita de irregularidades nas reformas dos aeroportos.

Carlos Wilson é casado com Maria Helena Brennand, filha de Francisco Brennand. Além de ser um célebre escultor, Francisco Brennand é dono da Oficina Brennand, que produz azulejos e pisos de cerâmica. Os azulejos e pisos de cerâmica da Oficina Brennand foram usados na reforma dos aeroportos de Recife, de Maceió e do Rio de Janeiro.

O caso da Oficina Brennand reproduz, em escala mínima, em escala doméstica, o que aconteceu na CPI dos Correios. Uma das filhas de Francisco Brennand é casada com o petista Carlos Wilson. Outra das filhas de Francisco Brennand foi casada com o tucano Sérgio Guerra. Onde quer que haja encrenca com um petista, sempre há também um tucano encrencado. Dessa maneira, um acaba protegendo o outro, um acaba acobertando o crime do outro.

A BANCADA DO PRESO

Jilmar Tatto foi acusado por um perueiro de favorecer empresas de transporte ligadas ao PCC. Isso aconteceu em meados do ano passado. Mesmo assim ele conseguiu se eleger deputado federal pelo PT. O primeiro projeto de lei que Jilmar Tatto apresentou ao Congresso Nacional abrirá as portas das cadeias: ele oferece aos condenados um desconto de pena de um dia para cada oito horas de estudo. Qualquer tipo de estudo. Até pelo correio. Até pela internet. Se o que conta é o tempo de estudo, Marcola tem de ser solto imediatamente. Ele é o PhD do PCC. Como declarou à CPI do Tráfico de Armas, ele estuda o dia inteiro. O deputado Neucimar Fraga perguntou qual era seu livro preferido:

> Marcola: *Assim falou Zaratustra.*
> Neucimar Fraga: *Assim falou...?*
> Marcola: *Zaratustra.*

Nas últimas semanas, os parlamentares de todos os partidos foram obrigados a aprovar algumas medidas que endurecem o combate ao crime. Os eleitores estavam de olho neles. Por isso eles aprovaram as medidas. Mas, assim como há uma Bancada da Bala, há também uma Bancada do Preso. É formada por deputados federais e senadores que resistem a qualquer mudança nessa área. Quem tenta reduzir a maioridade penal tem de enfrentar Arlindo Chinaglia, Aloizio Mercadante, Patrícia Saboya. Quem quer impedir que os crimes sejam prescritos tem de negociar com Jovair Arantes e o resto do PTB. Quem deseja tornar mais rigoroso o regime carcerário dos presos de alta periculosidade tem de driblar Ideli Salvatti, Sérgio Barradas Carneiro e Luiz Couto, além do ministro Tarso Genro.

O PT sempre foi mole contra o crime. O PSDB também. Cedo ou tarde o assunto se esgotará. Ninguém está disposto a falar de sangue e de morte todos os dias. Quando isso ocorrer, a Bancada do Preso poderá amenizar algumas das leis que acabam de entrar em vigor. Na realidade, o petismo nem encara a criminalidade como um problema. A segunda linha do partido já está espalhando que a crise de segurança pública foi inventada pela imprensa. A mesma imprensa golpista que inventou o valerioduto para derrubar Lula. O *site* do PT acusou a Rede Globo de provocar uma "histeria fascistizante e autoritária", argumentando que o "caso João Hélio só se tornou uma comoção nacional por causa de sua exploração mórbida pelo *Jornal Nacional*". E um membro do diretório paulista acrescentou: "É mister denunciar a manipulação feita pela mídia — Marinhos à frente — no sentido de criar um clima de prendo e arrebento."

A própria imprensa comprou a impostura do PT. O colunista Fernando de Barros e Silva, ao comentar a pesquisa do Datafolha em que o crime aparece como o maior problema do país, disse que "há no ar um clima de justiça justiceira, uma mistura de clamor punitivo com alarmismo social cultivado pela mídia". Ele pode ficar calmo. A Bancada do Preso acabará soltando todo mundo. Assim falou Diogo.

SEM VERGONHA DO COMPADRE

Olhe Lula. Ele comemora a compra da Varig pela Gol. Olhe os donos da Gol. Eles também comemoram. Olhe essa figura de terno cinza. Quem é ele? Roberto Teixeira? O representante da Varig é Roberto Teixeira? Lula aceita ser visto ao lado dele, sem o menor constrangimento?

Alguns fatos sobre Roberto Teixeira:

- Ele é compadre de Lula. E, segundo Lula, em sua terra natal "compadre vira parente".

- Lula morou nove anos numa casa de Roberto Teixeira, sem pagar aluguel.

- Em 1997, um importante quadro do PT, Paulo de Tarso Venceslau, acusou Lula de comandar a "banda podre" do partido, porque ele teria acobertado o favorecimento de Roberto Teixeira em prefeituras petistas.

- O PT abriu um inquérito para apurar o caso. Em seu relatório final, os comissários do partido denunciaram Roberto Teixeira por "grave falta ética" e recomendaram que ele fosse punido. Ele teria cometido "abuso de confiança com aproveitamento da amizade com Lula".

- Um dos comissários encarregados de analisar o caso, Hélio Bicudo, comentou recentemente em seu livro de memórias: "Havia o risco de ser detectado o envolvimento de Lula."

- Lula desaprovou o relatório final do partido. Foi feito outro, inocentando Roberto Teixeira.

• O juiz Carlos Eduardo Mattos Barroso classificou como "nebuloso", "suspeito", "obscuro" e "impróprio" o relacionamento íntimo entre Lula e Roberto Teixeira.

• Roberto Teixeira ajudou o presidente a comprar seu apartamento de cobertura.

• Quando o sobrinho de Roberto Teixeira foi seqüestrado, Lula procurou seus amigos empresários para levantar 400 mil dólares de resgate. O caso foi resolvido antes do pagamento. Lula se recusou a dizer quem o ajudou e que fim levou o dinheiro. Com a vitória de Lula, Roberto Teixeira aumentou seu poder de barganha. Em meados de 2005, Lula sinalizou que nomearia Airton Soares para o cargo de presidente da Infraero. Ele acabou sendo preterido por um funcionário de carreira mais afinado com os interesses da TransBrasil, empresa representada por Roberto Teixeira. Na ocasião, o jornal *O Estado de S. Paulo* apurou que a troca foi sugerida a Lula pelo próprio Roberto Teixeira, porque Airton Soares se comprometera a entrar na Justiça para retomar as propriedades ocupadas pela TransBrasil nos aeroportos. Ricardo Noblat complementou noticiando algo que, se comprovado, em qualquer lugar do mundo resultaria num *impeachment*: "Em telefonema para ministros de Estado, o presidente pediu para que os interesses de Roberto Teixeira fossem atendidos."

Isso é apenas uma alegre miscelânea pascoal do que já foi publicado sobre o assunto, com especial destaque para as reportagens de Luiz Maklouf Carvalho. Em resumo: o presidente da República envolveu-se num relacionamento nebuloso com um lobista do setor aéreo, que lhe concedeu regalias impróprias em troca de negócios suspeitos. O lobista abusou do "parentesco" com o presidente para defender os interesses obscuros de seus clientes numa das áreas mais podres do governo.

O bacalhau ficou entalado na garganta?

No podcast:

O PT, em 1997, abriu um inquérito interno para apurar as denúncias de Paulo de Tarso Venceslau. Na ocasião, Lula prestou um depoimento à Comissão de Ética do partido, esclarecendo nos seguintes termos o fato de ter ocupado uma casa de Roberto Teixeira por nove anos seguidos, sem jamais pagar aluguel:

"Em 89, eu estou fazendo campanha no Ceará, quando eu volto o glorioso PT tinha decidido que a casa que eu morava era de total insegurança. O Vladimir ou o Gushiken resolveu pedir para o Roberto Teixeira se ele não podia arrumar uma casa. O Roberto Teixeira falou: 'Eu cedo a casa para o Lula. Não tem nenhum problema'. Quando terminaram as eleições, qual era o normal? Eu voltar para a minha casa. Esse era o normal. Eu chamei o Roberto Teixeira e falei: 'Roberto, é o seguinte, eu sou candidato outra vez em 94, portanto, eu não vou voltar para o bairro Assunção, para depois eu pedir a casa outra vez. Então o negócio é o seguinte: você não precisa dessa casa, não precisa, tem muitos imóveis aqui, eu vou ficar nessa casa até o dia que você quiser'."

Lula sabe o que é normal e o que não é. Ele sabe o que é certo e o que não é. Só que nada disso se aplica a ele. Trata-se da mais perfeita exposição do conceito lulista de expropriação proletária: só vale em benefício próprio.

DISQUE "DIOGO" PARA FAZER *LOBBY*

Ninguém mais quer derrubar o Lula. Eu quero. Eu o derrubaria todas as semanas. Em vez de perder tempo comigo, leia atentamente a reportagem sobre Jader Barbalho. Se dependesse de mim, o caso derrubaria o presidente agora mesmo. O que falta para pedir a abertura de uma CPI da Bandeirantes? O que falta para responsabilizar Lula pelo rolo de 80 milhões de reais?

Deve ser bom derrubar um presidente. Deve ser bom derrubar qualquer político. Apesar de meu fervor golpista, só tenho o poder de nomeá-los. Eu nomeei Franklin Martins. Ele virou ministro porque foi afastado da Rede Globo. E ele foi afastado da Rede Globo porque mostrei que sua mulher era assistente parlamentar do então líder do governo no Senado, Aloizio Mercadante.

Outro dia a mulher de Franklin Martins me telefonou. Eram 10:00 da noite. Falamos por mais de uma hora. Muito educadamente, ela me apresentou seu *curriculum vitae* e perguntou que cargo eu autorizaria que ela ocupasse a partir de agora, com a ida de Franklin Martins para o ministério de Lula. Respondi que ela poderia ocupar qualquer cargo no funcionalismo público, menos um cargo comissionado, como o que tinha no gabinete de Aloizio Mercadante. Ela achou ruim. Muito ruim. Para lá de ruim. Ponderou que, sem um cargo de comando, à altura de sua capacidade profissional, acabaria limpando as botas dos apadrinhados dos políticos. Repliquei que ela teria de se contentar em limpar as botas dos apadrinhados dos políticos enquanto seu marido fosse ministro. É isso: sou um fracasso na hora de derrubar o presidente, mas posso decidir o emprego do ministro e da mulher do ministro. Já tenho um futuro como lobista. No melhor dos casos, serei parceiro de Lulinha. No pior, de Vavá.

A popularidade de Lula impediu até hoje que ele fosse derrubado. Eu refletia a respeito do assunto enquanto lia *Os homens que mataram o facínora*, livro que narra a história dos soldados que perseguiram, assassinaram e degolaram Lampião. O fato de refletir a respeito de Lula durante a leitura de um ensaio sobre cangaceiros pode indicar uma certa obsessão de minha parte. É verdade. Ocupei-me de Lula por tanto tempo que o caso já se tornou patológico. Vejo sua imagem estampada em todos os lugares. Vejo-a na mancha de café do sofá da sala. Vejo-a no bolor do queijo parmesão. Vejo-a na marca de suor da camisa do porteiro. É meu sudário blasfemo.

Sociedades arcaicas tendem a cultuar o banditismo. Foi assim na Inglaterra do século XIV. Foi assim na Itália do século XVI. A gente ainda está estacionado nessa fase. Por isso os cangaceiros entraram para o imaginário nordestino. Por isso Lula foi reeleito. Mas um dia tudo muda. Como eu sei? A marca de suor na camisa do porteiro mostrava uma cabeça degolada.

Em 28 de junho, a mulher de Franklin Martins ganhou um cargo comissionado na Casa Civil, no Palácio do Planalto, dois andares acima de seu marido, um acima de Lula.

O juiz me condenou no processo contra Franklin Martins.

SOU O BACURI DO KENNEDY

Eu sou o Bacuri do petismo. Bacuri foi torturado e morto pelo regime militar. Os informantes que a imprensa tinha no Deops e os informantes que o Deops tinha na imprensa souberam que ele seria morto duas semanas antes de o assassinato de fato ocorrer. Ao contrário do que fizeram com Bacuri, ninguém arrancou minhas orelhas, ninguém perfurou meus olhos. O regime militar era brutal. O petismo é só rasteiro. O colunista da Folha Online Kennedy Alencar noticiou que eu seria condenado no processo contra Franklin Martins um dia antes que o juiz efetivamente me condenasse. Se eu sou o Bacuri do petismo, Kennedy Alencar é o informante do Deops.

Na semana passada, aqui na coluna, dei um peteleco em Franklin Martins. Na segunda-feira, o antigo assessor de imprensa de Lula, Kennedy Alencar, publicou uma nota vaticinando qual seria o resultado do processo do ministro contra mim. Ele acertou até a quantia que eu teria de pagar: 30 mil reais. No dia seguinte, atropelado pelos eventos, o juiz Sergio Wajzenberg decidiu me condenar às pressas, antes de analisar minhas provas e antes de interrogar minhas testemunhas. Como sou parte em causa, tenho de tratar do assunto com uma certa cautela. A OAB, a corregedoria e a imprensa podem se ocupar do caso bem melhor do que eu. Mas a sentença do juiz Wajzenberg merece um comentário. O juiz Wajzenberg, como José Dirceu, só me chama de Diego na sentença. É Diego para cá, Diego para lá. Eu, Diego, sou descrito como um camarada da melhor qualidade: inteligente, brilhante, digno, leal, honesto e cumpridor de meu papel social. Mas cometi um erro ao identificar Franklin Martins como simpatizante de Lula, embora ele tenha sido nomeado, um ano depois do meu artigo, ministro de Lula. O juiz Wajzenberg se define como uma "velhinha de Taubaté". Ele afirma que, como a velhinha de Taubaté, "prefere acreditar" que um jornalista pode desempenhar seu trabalho com autonomia, mesmo que todos os seus parentes sejam beneficiados com cargos no governo.

O juiz Wajzenberg absolve também o "povo brasileiro". Ele alega que, como um bando de índios, nós toleramos a prática do "escambo". Por isso, "um ato que pode parecer uma troca de favores na verdade pode significar um reconhecimento do poder político". O juiz Wajzenberg diz que, diante da falta de trabalho, moradia e saúde, temos dificuldade de "entender o que é bom e o que é ruim". Mas ele "prefere acreditar" que "a maioria do povo brasileiro é digna, acredita em Deus e age para que nosso futuro seja melhor". Contaminado pelo espírito benevolente do juiz Wajzenberg, prefiro acreditar que em nenhum momento ele sentiu o peso de julgar um ministro, prefiro acreditar que ele nem considerou a hipótese de favorecer um membro do governo para obter algum tipo de vantagem em sua carreira, prefiro acreditar que ele conduziu meu processo com lisura, prefiro acreditar que ninguém arrancou minhas orelhas e ninguém perfurou meus olhos.

Na TV, Franklin Martins referiu-se a mim como "O colunista da *Veja*".

OS MEUS NAMBIQUARAS

Os petistas só se referem a mim como "O colunista" ou "O colunista da *Veja*".

Trata-se de um tabu bastante comum entre os povos primitivos. Os índios nambiquaras nunca pronunciam os nomes dos outros membros da tribo. Eles acreditam que os nomes próprios possuem propriedades mágicas, sendo escolhidos diretamente por Dauãsununsu, o ente supremo. Revelá-los é um sacrilégio.

Os oromos, da Etiópia, nutrem o mesmo temor pelos nomes próprios. As mulheres oromos costumam denominar seus maridos a partir de alguma característica marcante. Podem chamá-los de "O Honesto", ou "O Prudente", ou "O Desdentado", ou "O Dono do Cavalo Marrom".

Eu sou o "Dono do Cavalo Marrom" dos petistas. Se eu sou o "Dono do Cavalo Marrom" dos petistas, eles só podem ser os meus oromos, os meus nambiquaras. Sinto em relação aos petistas o mesmo espanto e o mesmo encantamento que Claude Lévi-Strauss sentiu em relação aos selvagens de Mato Grosso. Claude Lévi-Strauss, num de seus principais tratados sobre o assunto, comparou os nambiquaras a "uma raça gigante de formigas". Edgar Roquette-Pinto, que percorreu o território nambiquara duas décadas antes do antropólogo francês, definiu-os como "homens da Idade da Pedra". O presidente americano Theodore Roosevelt, que também passou pelas terras dos nambiquaras, afirmou que eles "nem chegaram à Idade da Pedra, sendo ingênuos e ignorantes como animais domésticos".

Eu analiso os usos e costumes do petismo como Claude Lévi-Strauss, Edgar Roquette-Pinto e Theodore Roosevelt analisaram os usos e costumes dos nambiquaras. Os petistas me parecem uma raça gigante de formigas. Eles me parecem homens da Idade da Pedra, ingênuos e ignorantes como animais domésticos. Claude Lévi-Strauss estudou o código de leis dos nambiquaras. Seu aparato legal tem o mesmo grau de incerteza e de arbitrariedade que o aparato legal do petismo. Em todos os processos dos petistas contra mim — uns duzentos —, eles sempre acabam citando um trecho de um artigo que publiquei em 2005:

> *Hoje em dia, só dou opinião sobre algo mediante pagamento antecipado. Quando me mandam um* e-mail, *não respondo, porque me recuso a escrever de graça. Quando minha mulher pede uma opinião sobre uma roupa, fico quieto, à espera de uma moedinha.*

Para os petistas, essa é a prova cabal da minha venalidade, do meu mercenarismo. Afinal, se eu confesso candidamente que minha mulher compra minha opinião, é porque ela de fato compra. E, se ela compra, qualquer um pode comprar. Esse foi o melhor argumento que eles conseguiram encontrar contra mim.

Muita gente teme que o petismo descambe para alguma forma de totalitarismo. "O colunista da *Veja*" é menos otimista. Ele acha que o país tem tudo para se transformar numa imensa aldeia nambiquara, cheia de formigas gigantes.

A MORTE DO GAROTO DE PROGRAMA

O jornal *Hora do Povo* recomendou minha morte. A *fatwa* foi publicada na semana passada, em artigo de primeira página:

> *Condenado com seus patrões da* Veja *a pagar 30.000 reais ao ministro Franklin Martins, em processo por calúnia, o garoto de programa Diego Mainardi houve por bem se auto-intitular "o Bacuri do petismo". Bacuri foi martirizado por 109 dias seguidos no Deops e perdeu a vida em 1970 por negar-se a revelar aos algozes informações que pudessem prejudicar o andamento da luta revolucionária contra a ditadura. Foi um herói na plena acepção da palavra. Já o pequeno canalha perdeu apenas algum dinheiro. Sabemos o que o vil metal significa para certo tipo de pessoa. Ainda assim, ao que tudo indica ele está pedindo para perder algo mais. Pode ficar tranqüilo. Não faltarão almas pias para fazer a sua vontade.*

Eu engulo ser chamado de garoto de programa ou de pequeno canalha. Já recebi ofensas piores. Fazem parte do meu trabalho. Mas dizer que estou pedindo para morrer é ir longe demais. O lulismo está cheio de almas pias. Há almas pias dispostas a roubar. Há almas pias dispostas a chantagear. Há almas pias dispostas a comprar deputados. Há almas pias dispostas a matar prefeitos. O risco é aparecer uma alma pia disposta a dar um teco nesse tal de "Diego". A *Hora do Povo* é do MR-8. Durante o regime militar, o grupo se dedicou ao terrorismo. Especializou-se em assaltos a bancos e supermercados. Depois de sofrer uma série de derrotas para a ditadura, desistiu do terrorismo em 1972. A última ameaça de morte do MR-8 foi feita ao diplomata americano Charles Burke Elbrick, raptado por seus militantes em 1969. Só agora, 38 anos mais tarde, eles ganharam coragem para flertar novamente com o terrorismo, incitando algum desajustado a fazer comigo o que os assassinos do Deops fizeram com Bacuri.

Os combatentes da *Hora do Povo* dizem saber o que o "vil metal" significa para mim. Eu sei o que o "vil metal" significa para eles. O MR-8 pulou heroicamente do terrorismo para o colo de Orestes Quércia. Passou por Anthony Garotinho. Fez negócios com Saddam Hussein. Dois meses atrás, num editorial, o jornal mendigou uns trocados a Lula, reclamando da falta de publicidade federal desde 23 de agosto de 2006. Coincidentemente, como mostrou Reinaldo Azevedo em seu *blog*, os gastos em propaganda do governo na *Hora do Povo* foram retomados no número seguinte à ameaça de morte feita contra mim, com um anúncio de meia página da Receita Federal. O lulismo está financiando o MR-8 com o "vil metal" dos meus impostos. É como se eu pagasse para alguém me matar.

Eu sempre zombei dos lulistas. Mas há um aspecto inquietante nisso tudo. Um aspecto que vai muito além da bufonaria e da chanchada. O MR-8 defende publicamente a morte de um cronista da mesma maneira que defende publicamente o terceiro mandato de Lula. O lulismo desembestou. Os garotos de programa que se cuidem.

Apresentei uma queixa numa delegacia de polícia contra a *Hora do Povo*.

RUMO AO CHAVISMO

Acusei Lula de reintroduzir a censura prévia no Brasil. Eu sei que ninguém mais se incomoda com ele. Eu sei que o antilulismo ficou datado. Mas Lula tem um plano de longo prazo. O risco é termos de aturar o lulismo para sempre.

A censura prévia está sendo reintroduzida por meio da Portaria 264. O artigo 4° determina que os programas de TV, antes de ir ao ar, devem ser vistoriados e autorizados pelo Ministério da Justiça. Mas há algo ainda pior do que isso. Algo que espantosamente parece ter passado despercebido. O artigo 5° da mesma portaria estabelece as bases para a censura dos programas jornalísticos. Trata-se do maior atentado de Lula à liberdade de informação. Se no futuro ele quiser censurar o Jornal Nacional ou o Fantástico, a Portaria 264 lhe dará o instrumento legal.

É melhor ir aos poucos, de frase em frase, para que o AI-5 lulista fique bem caracterizado. O artigo 5° estipula que os programas jornalísticos estão isentos da classificação indicativa. As emissoras de TV não terão de pedir autorização prévia do governo para transmitir seus noticiários, contrariamente ao que acontecerá com os programas de entretenimento. Até aí tudo certo. O autoritarismo do governo só se manifesta mais adiante, no parágrafo 2°, que diz: "A não atribuição de classificação indicativa aos programas de que trata este artigo" — e, repito, o artigo 5° inclui os programas jornalísticos — "não isenta o responsável pelos abusos cometidos, cabendo ao Departamento de Justiça e Classificação encaminhar seu parecer aos órgãos competentes".

O significado desse parágrafo é claro: os telejornais estão livres da classificação indicativa, mas terão de se submeter às mesmas regras censórias dos demais programas. Como nos tempos da ditadura militar, o noticiário será fiscalizado e eventualmente punido pelo governo. Quando se trata de Lula, eu sempre penso o pior. Se os telejornais sofrerem as mesmas restrições dos outros programas, como manda o artigo 5° da Portaria 264, a criminalidade, que todas as pesquisas apontam como o maior problema do país, será devidamente acobertada. Em caso de tiroteio numa favela, o Jornal Nacional só poderá mostrar aquilo que uma criança de 6 anos está apta a ver. Lula quer que a TV apresente uma realidade edulcorada, em que a violência não apareça em toda a sua brutalidade. O ideal lulista é um noticiário infantilizado, para menores de idade. Não podendo impedir o derramamento de sangue causado pelos criminosos, Lula impedirá que a TV mostre todo esse sangue.

O diretor do Departamento de Justiça e Classificação, José Eduardo Romão, é o grande defensor da Portaria 264. Na semana passada, irritado com as emissoras de TV, ele ameaçou "mudar o nível" do ataque do governo. Declarou numa entrevista que, a partir de agora, "passará a discutir a questão das concessões de rádio e televisão". As emissoras, segundo ele, falam "como se fossem indivíduos privados titulares de direitos à liberdade de expressão, mas não o são. São titulares de concessões dadas pelo Estado brasileiro". Isso mesmo: o Ministério da Justiça lulista está dizendo que a liberdade de expressão não se aplica às TVs. É um passo seguro rumo ao chavismo.

O governo aprovou uma nova portaria, acrescentando uma frase que tutela os telejornais contra as tentativas de ingerência do ministério da Justiça. Foi o que chamei jocosamente de "cláusula Mainardi".

O PAC TEM DE PARAR

A imprensa acoberta Lula. Quer ver como isso acontece? No último dia 17, o esquema de propinas da empreiteira Gautama foi desmantelado pela Polícia Federal. No mesmo dia, o Tribunal Superior Eleitoral divulgou que a empreiteira Andrade Gutierrez se tornara a maior mantenedora do PT, tendo doado oficialmente ao partido, no ano passado, mais de 6 milhões de reais, dois dos quais depois da campanha presidencial. Ninguém se deu ao trabalho de associar os fatos. Ninguém comparou as duas empreiteiras. As regalias que a Gautama ofereceu aos políticos de todos os partidos foram detalhadas pela imprensa. As regalias que a Andrade Gutierrez ofereceu a Lula foram caridosamente escondidas.

É só para isso que eu sirvo. Meu dedo está eternamente apontado para o peito de Lula. Eu sou a bússola do lulismo, o ponteiro magnetizado destes tempos ruins. Se a maior parte da imprensa acha que um presente dado por uma empreiteira a um secretário de Obras nos cafundós de Alagoas é diferente de um presente dado por uma empreiteira ao presidente da República, eu acho o contrário. A amizade entre os donos da Andrade Gutierrez e Lula é conhecida. Assim como é conhecida a generosidade com que eles sempre o trataram. A Gautama deu 20 mil reais ao sobrinho de ACM? Uma das donas da Andrade Gutierrez deu uma cirurgia plástica a Lurian. A Gautama ofereceu um passeio de barco em Salvador a Dilma Rousseff? Uma das donas da Andrade Gutierrez ofereceu uma estada de seis meses em Paris a Lurian. A Gautama entregou um pacote com 100 mil reais no gabinete de Silas Rondeau? A Andrade Gutierrez, por meio da Telemar, entregou bem mais do que isso à

Gamecorp. E continua a entregar. Quanto? Oito milhões de reais? Doze milhões de reais?

Nos últimos meses, a Gautama corrompeu políticos e servidores públicos para ter acesso ao dinheiro do PAC. A meta era fazer obras modestas em áreas distantes. A Andrade Gutierrez pertence a outra categoria de empreiteira. Disputa todas as maiores verbas do PAC, dos 2,47 bilhões de reais para construir navios petroleiros aos 3,7 bilhões de reais destinados à usina hidrelétrica de Belo Monte. Dois dias antes de ser afastado do ministério, Silas Rondeau declarou: "O PAC está muito acima de um prefeito, de um assessor. O PAC é maior do que a navalha." Ele está certo. O PAC é infinitamente maior do que a Gautama. Maior e mais rico. Se uma empreiteira de fundo de quintal faz um estrago tão grande, subornando prefeitos do interior e assessores de ministros, imagine o que pode ocorrer nos maiores projetos. O PAC tem de parar imediatamente. O melhor caminho é decretar uma moratória das obras públicas, ao mesmo tempo que o Congresso instala uma CPI e contrata uma auditoria independente para esquadrinhar os repasses do governo. É isso ou a Andrade Gutierrez paga uma plástica no nariz para todos nós.

Dilma Rousseff ameaçou me processar. Tive de publicar uma retificação: "Na semana passada, afirmei que a Gautama ofereceu um passeio de barco a Dilma Rousseff. Na verdade, o passeio foi oferecido pelo governador da Bahia, Jaques Wagner. A ministra havia sido informada de que o barco era alugado."

Dilma Roussef me acusou também de torcer pelo fracasso do Brasil. Respondi: "Como se fosse preciso torcer."

A GAUTAMA DO ÉTER

A TV Pública é a Gautama do éter. Assim como a Gautama faz obras que custam caro e ninguém vê, a TV Pública custará caro e ninguém a verá. A Gautama deu dinheiro a um monte de lulistas. A TV Pública dará dinheiro a outros tantos. O pessoal da Gautama foi parar na cadeia. Minha torcida é para que, futuramente, por algum motivo, o pessoal da TV Pública tenha o mesmo fim.

O que diferencia a Gautama da TV Pública é o preço. O da TV Pública é mais alto. Muito mais alto. O butim foi calculado inicialmente em 250 milhões de reais por ano. Agora, como diria Zuleido Veras, o contrato já foi aditado. De acordo com o assessor de imprensa informal de Franklin Martins, que despacha regularmente na *Folha de S. Paulo*, a TV Pública receberá 350 milhões de reais por ano. Se continuar nesse ritmo, logo mais a TV Pública terá de ser chamada de Andrade Gutierrez do éter ou de Mendes Júnior do éter.

Um conselho de oito profissionais foi reunido para idealizar a TV Pública. Há gente como Eugenio Bucci, recentemente afastado da Radiobrás, Florestan Fernandes Júnior, filho do sociólogo petista, e Beth Carmona, diretora da TVE. Quando Beth Carmona foi nomeada para a TVE, Luiz Gushiken declarou que se tratava de uma "escolha pessoal do presidente Lula". É com esse estigma que ela chega à TV Pública. Beth Carmona é uma espécie de teórica do traço. Traço é como se define o programa de TV com ibope igual a zero. Em sua defesa, ela argumenta que "a TV é uma concessão pública e, como tal, deve servir aos anseios da sociedade, e não à busca desenfreada pela audiência". Traduzindo: o espectador não sabe o que é melhor para ele, quem sabe é a Beth Carmona. Quais seriam os "anseios da sociedade"? Neste momento, estou sintonizado na TVE. Há um porquinho tocando violino. Meu único anseio é ele parar de tocar.

Outro conselheiro da TV Pública é Laurindo Lalo Leal. Ele apresenta um programa na TV Câmara, o *Ver TV*. Apesar do nome, desconfio que seja um dos programas de TV menos vistos de todos os tempos. Laurindo Lalo Leal acredita no seguinte: "Deve-se lutar contra o índice de audiência em nome da democracia. A TV regida pela audiência contribui para exercer sobre o consumidor as pressões do mercado, que não têm nada da expressão democrática de uma opinião coletiva esclarecida." O autor dessa charlatanice bolivariana é Pierre Bourdieu. A mensagem é aquela de sempre: somos incapazes de entender o que é bom para nós. Hoje à noite vou ver a novela da Globo e comprar todos os produtos anunciados nos intervalos comerciais. Só para incomodar Laurindo Lalo Leal e os acólitos de Pierre Bourdieu.

Se a meta da TV Pública é garantir apoio para o lulismo, o risco é nulo.

No podcast:

— Hideraldo é básico pra nós. Pra nós, o Hideraldo é tudo.

O comentário foi feito por um dos envolvidos no esquema da Gautama, num telefonema grampeado pela Polícia Federal. Refere-se a Hideraldo Caron, diretor do DNIT, no Ministério dos Transportes. Quando li a notícia, na *Folha*, deu um estalo na minha cabeça. Pensei: "Conheço esse Hideraldo de algum lugar." Fiz uma busca na internet e dei de cara com uma coluna que publiquei na *Veja* em fevereiro de 2005. Dizia o seguinte:

"Lula é meu XBox. É meu Nintendo. Tem moleque que passa o dia todo na frente do computador, caçando dragões e monstros de outras galáxias. Eu passo o dia todo na frente do computador caçando petistas. Sou como o Super Mario — minha missão é resgatar a princesa Peach da mão dos petistas. O lazer virtual engorda. O lazer virtual vicia. Estou gordo e viciado em caçar petistas.

O jogo é elementar. Qualquer idiota pode participar. Toda vez que acontece algo errado no país, o competidor deve verificar se há algum petista no meio. Curiosamente, sempre há. Pegue os jornais das últimas semanas. Selecione um fato particularmente grave, como a queda da ponte sobre o Rio Capivari, no Paraná. Um caminhoneiro morreu. Outro ficou ferido. O jogo consiste em descobrir onde os petistas estão escondidos. Cada petista descoberto vale 500 pontos.

O primeiro passo é consultar a página do DNIT na internet. Lá estão listados todos os seus dirigentes. Hideraldo Caron, diretor de infra-estrutura terrestre do DNIT, responsável direto pela ponte do Rio Capivari, é do PT do Rio Grande do Sul. Super Mario vence mais uma vez."

A Polícia Federal indiciou o irmão de Lula, Vavá.

PARA GIL, AQUELE ABRAÇO

Gilberto Gil me considera o Vavá da imprensa. Ele declarou à *Playboy* que me assiste todo domingo no *Manhattan Connection*, porque me acha "bonito (risos), mesmo dizendo essas coisas todas". Para Gilberto Gil, sou inimputável como Vavá. Ninguém pode me responsabilizar pelo que eu digo. Sou apenas, como já cantou o ministro, um "moreno com os olhinhos brilhando", um "bezerrinho", um "homem de Neandertal" de "porte esperto, delgado".

— Empresta dois milhão para mim?

Se Vavá é o Mainardi do lobismo lulista, se ele é o "bocadinho de amor" dos bingueiros de Campo Grande, se sua falta de cultura é usada como um salvo-conduto para livrá-lo da cadeia, suspeito que o fino intelectual do bando seja o compadre de Lula, Dario Morelli Filho. Ele deu uma amostra de sua sagacidade argumentativa num telefonema grampeado para o bingueiro Nilton Servo:

— Quando começa a morrer juiz, todo mundo fica preocupado. Mas não tem uns que têm que morrer mesmo?

Sei perfeitamente que, com meu "corpo eterno e nobre de um rei nagô", eu poderia parar de me importunar com assuntos desse tipo, mas sempre me espanto com as estratégias de acobertamento da imprensa lulista. *Veja* noticiou que Vavá levou um empresário ao Palácio do Planalto em 19 de outubro de 2005. Três semanas depois, a *IstoÉ Dinheiro* fez uma reportagem de capa sobre "O drama da família Lula da Silva", em que os parentes do presidente atribuíam a parada cardíaca de Vavá às denúncias contra ele. Na reportagem, Frei Chico defendia o irmão lobista da seguinte maneira:

— O Vavá sempre foi uma espécie de assistente social não remunerado. Ele procurou ajudar as pessoas. Está na cara que ele nunca levou vantagem desses empresários.

Frei Chico usa o codinome Roberto em seus telefonemas para Vavá. Vavá fala sobre máquinas de terraplenagem com o presidente da República. E o "filho do homem" é uma figura recorrente nas conversas dos bingueiros. Trata-se daquele filho? Trata-se daquele homem? Nilton Servo foi grampeado dizendo:

— O Dario está vindo para cá, entendeu? Para Campo Grande. Está vindo ele e está vindo o filho do homem.

E acrescentou:

— Nem o Vavá sabe disso.

Vavá é para ser usado. Vavá é um lambari. Vavá é um ingênuo. Tanto que o filho do homem conseguiu passar-lhe a perna, aliando-se ao compadre de Lula para roubar-lhe o cliente bingueiro. O mesmo cliente bingueiro que, referindo-se a um empréstimo milionário do BNDES para uma fábrica de papel higiênico, se serviu de uma elegante onomatopéia:

— Pá, pá, pá. Pum!

Eu, "a coisa mais linda que existe", me pergunto quem é o filho do homem e se a PF rastreou os telefonemas de Dario Morelli nos dias que antecederam a tal viagem a Campo Grande. Eu, "*motocross* das estradas da ilusão", me pergunto também se o homem da mala no caso do dossiê, Hamilton Lacerda, ex-secretário de Zeca do PT em Mato Grosso do Sul, teve algum contato com esses bingueiros em setembro de 2006.

Só para terminar: o que eu mais aprecio em Gilberto Gil também é seu aspecto físico.

A FADA SININHO

Peter Pan tem a fada Sininho. Lula tem Elio Gaspari. Elio Gaspari é a fada Sininho de Lula. Quando a bomba dos piratas está para estourar no colo de Lula, providencialmente aparece Elio Gaspari, batendo as asinhas. Ele carrega a bomba para longe e — bum! — estoura junto com ela, sempre pronto a se sacrificar pela Terra do Nunca.

A última bomba que Elio Gaspari afastou de Lula foi Vavá. Num artigo recente, ele ficou vermelho de raiva, como a fada Sininho, e afirmou que Vavá estaria sendo "covardemente linchado porque é irmão do presidente da República". O artigo foi elogiado e reproduzido por todo o *agitprop* lulista, do *site* do PT ao *blog* de José Dirceu. Elio Gaspari argumentou que a meta dos linchadores de Vavá era atingir a jugular de Lula. Para isso, eles o teriam desqualificado como "lambari, deseducado e pé-de-chinelo". Eu entendi direito? Elio Gaspari está dizendo que, quando Lula chamou Vavá de lambari, ele pretendia atingir, na realidade, sua própria jugular? Lula queria dar um golpe nele mesmo?

Elio Gaspari, em seu artigo, garantiu que nenhum governante teve uma família que "veio de origem tão modesta e continuou a viver em padrões tão modestos" quanto Lula. Para que sua tese pudesse vingar, ele relegou marotamente a um mero parêntese o principal caso de sucesso familiar dos da Silva: "(Noves fora o Lulinha da Gamecorp)". De acordo com Elio Gaspari, Vavá é igual a Billy Carter, o caipira alcoólatra que virou lobista do governo líbio e foi usado para atingir seu irmão, Jimmy Carter, o presidente americano que "passará para a história como um exemplo de retidão". Presumo que, para Elio

Gaspari, o governo Lula também seja um exemplo de retidão. Noves fora Waldomiro Diniz. Noves fora Delúbio Soares. Noves fora Marcos Valério. Noves fora Duda Mendonça. Noves fora Jorge Lorenzetti.

A imprensa está cheia de gente disposta a se imolar por Lula. Elio Gaspari é melhor do que os demais porque ninguém o associa a Lula, e sim a José Serra. Se ele livra a cara de Vavá, Vavá deve ser inocente, porque Elio Gaspari é serrista. Se ele livra a cara de Freud Godoy, Freud Godoy deve ser inocente, porque Elio Gaspari é serrista. Uma parte da esquerda, representada por Elio Gaspari, acredita que o melhor para o país é uma espécie de compromisso histórico entre PT e PSDB, como se os dois partidos saqueassem menos do que PMDB e DEM. Para que o compromisso histórico se realize, é necessário salvaguardar Lula.

Poucos dias depois de denunciar o linchamento de Vavá, Elio Gaspari apresentou mais uma teoria estapafúrdia. Ele defendeu que, "se a prisão de um compadre do presidente é recebida pela sociedade como um indicador de que a roubalheira aumentou, aumentará a roubalheira". Sim: Elio Gaspari está atribuindo a roubalheira a quem protesta contra Lula. O pior é que ele faz isso baseado no caso de Hong Kong. Em 1974, Hong Kong criou uma agência independente, com poderes draconianos, para perseguir a roubalheira estatal. Deu certo. Muitos corruptos foram descobertos. Muitos corruptos foram presos. É um modelo a ser imitado. Pena que a fada Sininho do lulismo esteja em outra. Ela só quer salvar Peter Pan. Bum!

ELES SÃO OBA!, EU SOU EPA!

"O mundo se divide em dois tipos de pessoas: as que gritam Oba! e as que exclamam Epa!". Quem disse isso? Demócrito? Santo Agostinho? Leibniz? Nietzsche? Nenhum deles: foi Ivan Lessa, no *Pasquim*. A frase resume tudo o que conseguimos aprender até hoje sobre o ser humano. De acordo com Ivan Lessa, os Oba! são otimistas, alegres, aproveitadores, oportunistas, barulhentos e donos de um caráter flexível. Os Epa!, por outro lado, são censuradores, precavidos, desconfiados, facilmente escandalizáveis, dotados de um caráter rígido e de pouquíssimo senso de humor.

A popularidade de Lula já foi analisada sob diferentes prismas. Faltou um: o que aplica à realidade política a tipologia do Oba! e do Epa!. Os brasileiros sempre foram esmagadoramente Oba!. Somos uma espécie de paradigma universal do Oba!, com focos isolados e desorganizados de Epa!. O grande mérito do lulismo foi separar claramente as duas categorias: uma para cá, outra para lá. Tome-se a última pesquisa CNT-Sensus, publicada alguns dias atrás. Entre os eleitores que ganham até 380 reais, 72,3% festejam Lula com um alegre e ruidoso Oba!. Entre os que ganham mais de 7,6 mil reais, há apenas 31,7% de Oba! e uma arrasadora maioria composta de 65,9% de censuradores e escandalizados Epa!.

É bom que os que ganham até 380 reais estejam dizendo Oba!. Podemos parar de nos preocupar com eles. Quanto menos a gente se preocupar com eles, melhor para eles e melhor para nós. Agora que o lulismo reintroduziu no Brasil uma pitada de identidade de classe, contrapondo ricos e pobres, temos de encontrar um jeito de preservá-la. Quando um jornalista do

Oba! Oba! vier pedir anúncios à sua empresa, diga Epa! e mande-o procurar o governo. Quando um ator ou cantor do Oba! Oba! aparecer pleiteando patrocínio para seu espetáculo, diga Epa! e nem o receba. Quando um professor universitário tentar doutrinar seu filho com o Oba! Oba! de Mészáros, Guattari ou Sachs, diga Epa!, tire seu filho da universidade e arrume-lhe um emprego. Quando um diretor de TV propuser uma minissérie esteticamente arrojada a partir da obra do Oba! Oba! Ariano Suassuna, diga Epa!, mude de canal e veja um enlatado americano.

É assim que eu protesto contra a turma do Oba!: todos os dias, às 4:00 da tarde, interrompo minhas atividades para ver a reprise de um episódio de *The Office*, a prova mais evidente da superioridade moral e intelectual da turma do Epa!. De tanto assistir a *The Office*, é capaz que um dia eu ainda consiga derrubar Lula. Reinaldo Azevedo, em seu *blog*, comparou os antilulistas àqueles cavaleiros medievais do Monty Python que acreditam poder derrotar seus inimigos berrando um estridente Ni!. É verdade. Se 100 mil pessoas se reunissem na Candelária e berrassem juntas Ni! ou Epa!, o governo cairia na hora. O problema é que a turma do Epa! jamais conseguiria se organizar para reunir 100 mil pessoas num mesmo lugar. É bem melhor ficar em casa vendo TV e zombando da turma do Oba!.

CHIMPANZÉS PATINADORES

Onde está Lula? Lula está de cama. Duzentas pessoas morreram no acidente da TAM. No dia seguinte, Lula preferiu ficar em repouso, de olhos fechados, de barriga para cima, depois de sofrer uma cirurgia cosmética. Sobre os 200 mortos do acidente da TAM, ele se calou. Ele se escondeu. Assim como se calou e se escondeu quando foi vaiado nos Jogos Pan-Americanos. Pode-se argumentar que Lula, o Churchill de Garanhuns, é melhor calado do que falando. Mas é temerário ter um presidente que sempre amarela na hora do aperto.

Ao ser reeleito, em outubro do ano passado, Lula declarou que continuaria a governar para os mais pobres. No setor aéreo, isso se traduziu num descaso criminoso que culminou com os 200 mortos do acidente da TAM, independentemente das falhas do aparelho. O eleitorado de Lula é formado por gente que nunca voou. Quem morre em acidente aéreo é aquela parcela minoritária dos eleitores que sente ojeriza por ele. Na China, Mao Tsé-tung puniu a burguesia obrigando-a a trabalhar em fábricas e em campos de arroz. No Brasil, a luta de classes lulista puniu a burguesia transformando os jatos da Airbus em paus-de-arara.

Os pilotos apelidaram a pista principal do Aeroporto de Congonhas de "Holiday on Ice". Isso significa que os passageiros assumiram o papel de chimpanzés patinadores. A Anac autorizou a reabertura da pista antes que sua reforma fosse concluída. A Anac é o retrato perfeito da pilhagem lulista. Milton Zuanazzi, seu presidente, fez carreira como secretário de Turismo do Rio Grande do Sul. A melhor credencial que ele tem para ocupar o cargo é a carteirinha do PT. Uma das diretoras da Anac, Denise de Abreu, era assessora jurídica de José Dirceu na Casa Civil. Outro diretor da Anac, Leur Lomanto, é ligado a Geddel Vieira Lima, e, alguns anos atrás, foi acusado de negociar vantagens para se filiar ao PMDB. O que um secretário de Turismo, uma procuradora do estado e um deputado do interior da Bahia podem saber sobre segurança aérea? Pergunte ao Lula, quando ele decidir sair da cama. Eu me sentiria mais seguro se seus cargos na Anac fossem ocupados por chimpanzés patinadores.

Em abril, sete meses depois do acidente da Gol, enquanto os deputados do PT tentavam abafar a CPI Aérea, Lula se reuniu sorrateiramente com Carlos Wilson num hotel do Recife. Carlos Wilson presidiu a Infraero no primeiro mandato de Lula e é lembrado por ter reformado os aeroportos com os azulejos da Oficina Brennand, de propriedade de sua mulher. É o modelo de moralidade lulista: sobra dinheiro para os azulejos, mas falta para os radares e o grooving. Outro modelo de moralidade lulista é Luis Fernando Verissimo. Ele disse que prefere ficar calado diante das "mutretas" do lulismo porque teme ser confundido com os reacionários. É o mesmo argumento usado pelos stalinistas para acobertar os crimes do comunismo. Pode roubar, desde que seja para combater o inimigo. Pode matar? Pode, sim. Só uns 200 reacionários de cada vez.

No podcast:

Congonhas é um dos aeroportos mais seguros do mundo. Quem garante é Lula. E, se Lula garante, eu confio. Só tenho um pedido a fazer. Antes de reabri-lo aos passageiros, Lula pode pegar seu Airbus e aterrizar em Congonhas umas dez ou quinze vezes. Com a pista molhada. Meio milímetro de água. Para a gente ver o que acontece. Um tira-teima. Primeiro, o Aerolula deve pousar só com o reversor direito funcionando. Depois, só com o esquerdo. Se o Aerolula conseguir parar antes do fim da pista, a gente comemora. Se ele se estatelar na avenida, a gente tem de refletir por três dias para saber sobre como reagir. Assim como Lula e seu ministro da Propaganda passaram três dias calculando os efeitos do acidente da TAM na imagem presidencial.

Para o teste de Congonhas ficar completo, Lula precisa lotar seu Airbus. Sugiro que ele convide toda essa turma que, nos últimos meses, palpitou sobre a crise aérea: Marta Suplicy, Guido Mantega, Marco Aurélio Garcia, Carlos Wilson, Milton Zuanazzi, Denise Abreu, aquele velhinho baiano que está no ministério da Defesa, seu compadre Roberto Teixeira, o presidente da TAM, o dono da Gol. Por acaso já citei José Dirceu? É necessário reservar poltronas para José Dirceu e seu assessor Bob Marques.

Lula tem de embarcar também uns jornalistas. Paulo Henrique Amorim é a pessoa ideal para falar sobre a aderência da pista. Ele entende de adesismo. Ninguém adere como ele. Paulo Henrique Amorim é um jornalista com grooving. Fernando Rodrigues é outro jornalista que merece um assento nos testes de pouso em Congonhas. Tereza Cruvinel pode ser a comissária de bordo. Todos os dias ela repete suas instruções de segurança, alertando para os riscos de politização da tragédia da TAM e, conseqüentemente, de despressurização do petismo. É claro que no Aerolula cabe Mino Carta. Espaço nunca foi um problema para ele. Mino Carta cabe em qualquer lugar. Ele é portátil. Pode entrar como babagem de mão.

MORREMOS TODOS

Quando é que derrubaremos Lula?

A posse do ministro da Defesa, na última quarta-feira, foi o espetáculo mais indecoroso da história política brasileira. Lula ria. Nelson Jobim ria. Tarso Genro ria. Guido Mantega ria. Celso Amorim ria. Juniti Saito ria. Marco Aurélio Garcia ria. Por algum motivo, até mesmo o demitido Waldir Pires ria. Lula provavelmente se regozijava por ter se safado, segundo seus cálculos, de mais uma fria. No caso, os 200 mortos da tragédia da TAM. Ele repetiu despudoradamente, com sua risada, o gesto de escárnio feito por Marco Aurélio Garcia em seu gabinete, no Palácio do Planalto. Que espécie de gente tripudia sobre 200 mortos? Como alguém pode atingir esse grau de pusilanimidade? Se um dos militares presentes naquela sala batesse vigorosamente as botas, Lula e seus ministros com certeza sairiam em disparada, aos gritos, acotovelando-se e pisoteando-se no carpete verde.

Nunca derrubaremos Lula. O que vai acontecer conosco é muito pior: um progressivo desmoronamento da sociedade. É sempre complicado tentar apontar o momento em que um país se perde irremediavelmente. Mas, se eu fosse apostar, apostaria todas as fichas que ele ocorreu na posse de Nelson Jobim, na quarta-feira passada. Entre uma tirada de bar e outra, Lula profanou os 200 corpos dando a entender que o desastre poderia servir pelo menos para diminuir as filas da ponte aérea. Uma sociedade resiste a um governo corrupto. Ela resiste também a um presidente incapaz. O que elimina qualquer possibilidade de convívio é o triunfo dessa boçalidade predatória que caracteriza Lula e sua gente. Eles cercaram a cidadela e ficaram esperando que nossas reservas de civilidade acabassem. Elas acabaram. Estamos desarmados e rendidos.

O Brasil é um buraco. Nunca fizemos algo que prestasse. Mas até outro dia ainda tínhamos uma vaga idéia de como nos comportar. E era essa vaga idéia que mantinha o país andando. Andando de lado, mas andando. Uma das regras de comportamento que a gente seguia era manter certa dose de compostura diante da dor pela morte de alguém. Lula violou essa regra. Depois de violá-la, tripudiou mais uma vez, ensinando aos familiares dos mortos do desastre da TAM que "é preciso que a gente tenha momentos de descontração para tornar a vida menos sofrível". Um dia Lula morrerá. Mas nós já teremos morrido antes dele.

O PISTOLEIRO DIRCEU

Eu sou "um pistoleiro que Roberto Civita contratou para assassinar a honra das pessoas". Quem declarou isso foi José Dirceu, na última *Playboy*. Na verdade, em tantos anos de *Veja*, só falei uma vez com Roberto Civita, durante um encontro na Editora Abril, em 2004. O assunto foi etimologia. Por outro lado, falei repetidamente sobre José Dirceu com os investigadores do caso Celso Daniel. Quando se trata de Celso Daniel, a primeira imagem que me ocorre é a de pistoleiros contratados para assassiná-lo. Contratados por quem?

José Dirceu, na *Playboy*, apontou-me como o líder dos agitadores "de todas as direitas do grande Brasil". Tenho dó das direitas, seja lá quantas elas forem. Eu só agito remédio contra tosse. José Dirceu, no papel de agitador, sempre foi bem mais capaz e articulado do que eu. Desde a tragédia em Congonhas, fico lembrando o tempo todo como ele agitou os negócios da TAM, em seu reinado na Casa Civil. Primeiro, tentou entregar-lhe a Varig, por intermédio do representante do Banco Fator, Luciano Coutinho, atual presidente do BNDES. Depois, avalizou o acordo pelo qual as duas companhias passaram a compartilhar os vôos. O acordo logo se refletiu nas contas da TAM. No último ano do governo de Fernando Henrique Cardoso, a TAM registrou um prejuízo de 605,7 milhões de reais. No primeiro ano de Lula e José Dirceu, ela apresentou lucro de 173,8 milhões de reais. Isso é que é agitar.

Apesar de ter sido indiciado como chefe dos mensaleiros e cassado pelo Congresso Nacional, José Dirceu continua sendo o maior empregador particular do governo. No segundo mandato de Lula, os dirceuzistas ainda ocupam o mesmo espaço que no primeiro. O fato de contar com tantos apadrinhados em cargos endinheirados deve facilitar seu trabalho como lobista. Como ele mesmo disse à *Playboy*, "no governo, quando eu dou um telefonema, modéstia à parte, é um telefonema!". Quanto pode representar, de modo geral, um gerente de negócios de uma estatal? Quanto pode significar, modéstia à parte, o presidente de um banco público?

José Dirceu considera que há "o jornalismo marrom, o amarelo e o jornalismo de Diogo Mainardi". Aparentemente, tornei-me uma nova cor — sou o Flicts da imprensa. Os comentários de José Dirceu a meu respeito podem parecer uma briga pessoal, que deveria ser resolvida no mano a mano: ele com sua .22, usada para praticar assaltos na década de 1970, e eu com minha caneta, que ele definiu como uma arma. Mas José Dirceu me elegeu como símbolo de algo muito maior. Represento, segundo ele, a "imprensa partidária, ideológica, engajada, com projeto político". É sempre assim. Basta Lula ser apanhado em flagrante, como no caso da barbárie aérea, para que seus parceiros sugiram dar óleo de rícino aos jornalistas, com o argumento de que eles manobram para derrubar o presidente mais popular de todos os tempos.

O pistoleiro José Dirceu só vai revelar se atirou em alguém, durante sua fase terrorista, depois dos 80 anos de idade. Quem sabe a gente consegue descobrir, antes disso, o que ele fez no poder.

Apesar de todos os seus problemas, a Justiça se movia. Dei mais uma notícia no podcast:

Lulinha está sendo investigado pela Polícia Federal. Epa! O inquérito policial foi instaurado por ordem do Ministério Público Federal. Epa! Epa! Epa!

Lula é um presidente insólito. Dois meses atrás, fomos informados de que a PF estava investigando seu irmão Vavá: "Dá dois pau aí?". Agora é a vez de seu filho Lulinha. É PF demais para uma família só.

É melhor divulgar apenas os dados oficiais de que disponho, baseados em documentos, omitindo toda a fofocalhada de bastidores. O Ministério Público Federal do Rio de Janeiro encaminhou um ofício à Polícia Federal carioca. Nesse ofício — MPR/PR/RJRR/nº246/2006 — o procurador pedia que a PF instaurasse um inquérito policial com a finalidade de apurar se "desproporcional aporte de recursos financeiros estaria sendo direcionado à empresa Gamecorp, única e exclusivamente em razão de contar com a participação acionária do filho do presidente da República, Luiz Inácio Lula da Silva".

CORRE, DIOGO, CORRE

Correr é de direita? Quem se perguntou isso foi o jornal *Libération*. Os franceses entendem do assunto. O conceito de direita e de esquerda foi criado por eles 200 anos atrás. Se eles dizem que correr é de direita, acredite: correr é de direita. Um especialista citado pelo jornal declarou que a corrida passa a idéia de desempenho e de individualismo, valores tradicionalmente associados à direita. Se o direitista corre, o esquerdista só pode andar. É outro jeito de analisar a história. Os monarquistas corriam. Os jacobinos andavam. Maria Antonieta corria. Robespierre andava.

O que desencadeou a reportagem do *Libération* foi o fato de o presidente Nicolas Sarkozy ter o costume de correr. Pior: ele costuma correr com a camiseta do Departamento de Polícia de Nova York. Sarkozy é um representante da direita. Logo, correr é de direita. Descartes se orgulharia do rigor intelectual de seus compatriotas. Eu nunca li o *Libération*, um jornal de esquerda. Eu soube de sua inspiradora reportagem sobre o caráter reacionário da corrida por meio do *Times*, um jornal rigorosamente de direita. O artigo do *Times* foi publicado em 4 de julho. Naquele mesmo dia, decidi começar a correr. Se José Dirceu me classifica como o "agitador de todas as direitas do Brasil", só me resta correr. Como sofro de uma certa fraqueza ideológica, acabei adiando por mais de quatro semanas o início de minha atividade física. Na última quarta-feira, na falta de uma camiseta do Departamento de Polícia de Nova York, coloquei uma camiseta da Drogaria Pacheco e corri pela orla até o fim do Leblon. Descobri que o tornozelo inchado é de direita. A bolha no pé é de direita. O ácido láctico é de direita.

A esquerda francesa pode contar com a ajuda da esquerda brasileira em sua grandiosa tarefa de redefinir os atributos dos dois campos políticos. Até outro dia, quando tinham de se posicionar ideologicamente, os petistas recorriam ao pobre Norberto Bobbio, abastardando um ou dois enunciados mais rasteiros de sua obra. Agora isso mudou. Para os propagandistas do PT, um direitista é aquele que arremessa ovos podres pela janela e surra empregadas domésticas. Por mais direitista que eu seja, segundo José Dirceu e seus amigos, ainda reluto em adotar a prática de arremessar ovos pela janela. Por outro lado, penso em surrar minha empregada sempre que ela se esquece de comprar manteiga no supermercado. Os repórteres esquerdistas que cobriram a última passeata contra Lula revelaram também que os direitistas só se referem ao presidente da República com termos grosseiros como "ca-cha-cei-ro" e "va-ga-bun-do". O esquerdista Luis Fernando Verissimo repete todas as semanas que os direitistas rejeitam Lula por ele ser um metalúrgico. Mais: um pau-de-arara. Rejeitar Lula seria uma forma de preconceito de classe. Eu gosto de ler o Verissimo porque ele me trata como um aristocrata. É como se eu, com toda a minha vira-latice, me tornasse momentaneamente um personagem de P.G. Wodehouse. Um Bertie Wooster. Corre, Diogo, corre.

A AGENDA DE DIRCEU

Recebi uma agenda de telefones de José Dirceu. Passei os últimos dias bisbilhotando-a, checando nomes, analisando datas, conferindo números. Sou um rapaz sortudo. A agenda surgiu num momento oportuno. Nesta semana, o STF tem de decidir se aceita a denúncia contra os mensaleiros. O procurador-geral da República declarou que pretende reunir mais provas contra os acusados. A agenda de Dirceu, que entregarei a ele, pode ajudá-lo a cruzar alguns dados.

A agenda está incompleta. Lista nomes de A a J. Era usada pelas secretárias de Dirceu na Casa Civil. O bom é que, além dos números de telefone, foram anotados alguns recados de seus interlocutores. Os recados se referem à primeira metade de 2003. Naquele período, o esquema de pagamento ilegal aos deputados ainda era muito incipiente. O principal empenho de Dirceu e seus homens era aparelhar a máquina estatal com parentes e amigos, como sua mulher, Maria Rita Garcia. Em 7/3/2003, o tucano Arnaldo Madeira telefonou para avisar que já atendera ao pedido de Dirceu, transferindo Maria Rita de um cargo concursado no governo paulista para um comissionado em Brasília, com relativo aumento salarial.

Na agenda de Dirceu, há 35 recados de seu amigo do peito, o advogado Kakay (tel: XXXX9292, XXXX5050). Há alguns muito claros: "Precisa falar pessoalmente antes do compromisso". Há outros mais enigmáticos: "Assunto: Marconi – OK." Em certos casos, Kakay aparece cuidando dos encontros de trabalho de Dirceu: "Avisa que a reunião ficou marcada para 22:15." Em outros, ele parece se intrometer em matérias do governo, como num recado de 31/3/2003: "Lembrar: circuito IRB e ligação p/ Dep. Eunício Oliveira." Sabe-se que o IRB foi uma das fontes de financiamento dos mensaleiros. Sabe-se também que uma assessora de Eunício Oliveira foi acusada de sacar dinheiro da conta de Marcos Valério, no Banco Rural.

A agenda tem 27 recados de Bob Marques (XXXX3241, XXXX2228). Dirceu já o chamou de "assessor informal". Depois o definiu apenas como "amigo". Isso aconteceu quando o questionaram acerca de um saque no valerioduto em nome de Roberto Marques. Aparentemente, um dos papéis do amigo era intermediar o relacionamento de Dirceu com sua ex-mulher, Ângela Saragoça. Em 29/4/2003, Bob Marques passou o seguinte recado ao chefe: "Avisa que hoje deu tudo certo c/ a Ângela." Naquele mesmo dia, Dirceu ligou para ela. Bob Marques voltou ao assunto em 19/5/2003. Muita gente já deve ter esquecido, mas Marcos Valério ajudou a ex-mulher de Dirceu a arrumar um emprego no BMG e um empréstimo no Banco Rural.

Outro recado de Bob Marques que merece destaque é de 15/4/2003. Diz: "Sobre viagem do Gaspar a Cuba – assunto Cervantes." Só pode se tratar de Sérgio Cervantes (XXXX1629), o cubano que, segundo assessores de Antonio Palocci, entregou ao PT uma mala cheia de dólares. Nunca se soube quem teria doado o dinheiro. Uma pista é o tal Gaspar, cuja viagem a Cuba foi programada por Dirceu e Bob Marques. O único Gaspar que consta da agenda é Luiz Gaspar (XXXX1906, XXXX2019), um companheiro de Dirceu dos tempos da luta armada. Durante o regime militar, ele se refugiou em Cuba e montou uma empreiteira. Em 2001, foi apresentado ao empresário Mario Garnero e se associou a ele num projeto para construir hotéis em Cuba, com uma promessa de empréstimo do BNDES. Os dólares poderiam ter sido doados por um empresário com interesses na terra de Fidel Castro?

É o que o pistoleiro Diogo tinha a dizer.

MAIS SOBRE A AGENDA DE DIRCEU

Passei a semana escarafunchando a agenda de telefones de José Dirceu. De novo? De novo. Pode mudar de assunto? Nem a pau. O que pretende com isso? Responder a uma ou duas perguntas. Quem ainda se importa com essa história? Eu. E o julgamento no STF? A imprensa tem de continuar a apurar os fatos, independentemente do Judiciário. Como José Dirceu reagiu ao aparecimento da agenda? Ele me acusou de ter usado o aparato do Estado Policial para consegui-la. Usou mesmo? Usei uma rede secreta de recepcionistas e secretárias. Ele está com medo? Espero que sim.

A agenda é de 2003. Cruzei seus dados sobre telefonemas com as planilhas elaboradas pela CPI dos Correios. O primeiro semestre daquele ano foi marcado pelos pagamentos de Marcos Valério a Duda Mendonça. Na agenda, há o registro de oito telefonemas entre José Dirceu e o publicitário que cuidou da campanha presidencial. Dois deles precederam o período em que ocorreram os pagamentos. Dos seis telefonemas restantes, quatro — repito: quatro — foram realizados nos dias em que se verificaram saques em favor de Duda Mendonça. Entendeu? Pelo que consta da agenda, José Dirceu e Duda Mendonça praticamente só tinham contato nas datas em que o valerioduto liberava o dinheiro para este último. Olhe só:

- Em 26 de março, David Rodrigues Alves, identificado pela CPI dos Correios como uma das mulas de Duda Mendonça, sacou 300.000 reais do valerioduto. Naquele mesmo dia, Duda Mendonça e José Dirceu trocaram uma chamada.
- Em 28 de abril, outro sacador de Duda Mendonça, Luis Carlos Costa Lara, retirou mais 300.000 do Banco Rural. A

agenda mostra que, às 12h47, José Dirceu e Duda Mendonça se telefonaram.

• Em 30 de abril, aconteceram dois saques. O primeiro, de 250.000 reais, foi feito pela sócia de Duda Mendonça, Zilmar Fernandes. O segundo, de 300.000, foi feito por outro homem do esquema, Francisco de Assis Novaes Santos. Duda Mendonça, como de costume, ligou para José Dirceu, às 13h34 daquele dia.

• Em 13 de maio, David Rodrigues Alves sacou mais 250.000 no Banco Rural. O ministro e o publicitário se falaram antes do almoço.

Mas há outra bizarrice envolvendo esse caso. Uma bizarrice que mereceria ser investigada pelo Ministério Público, só para eliminar qualquer dúvida. Nos quatro dias em que os saques do valerioduto foram acompanhados por telefonemas entre José Dirceu e Duda Mendonça, o advogado Kakay coincidentemente também ligou para o chefe da Casa Civil. Em alguns casos, os telefonemas aconteceram na seqüência um do outro. Em 30 de abril, José Dirceu e Kakay se falaram às 13h20. Poucos minutos depois, às 13h34, quem ligou para o ministro foi Duda Mendonça. O mesmo padrão se repetiu em 13 de maio. José Dirceu e Kakay conversaram às 10h30. Às 11h04, foi a vez de Duda Mendonça. O que Duda Mendonça, Kakay e Marcos Valério têm em comum? Os três foram contratados por Daniel Dantas.

Em seu blog, José Dirceu declarou que quero me vingar dele. Nada disso. Fui um dos poucos colunistas que sempre atribuíram a responsabilidade pelo valerioduto ao seu chefe, Lula. O cruzamento da agenda de José Dirceu com os pagamentos no Banco Rural parece indicar que o esquema foi utilizado, em primeiro lugar, para pagar a campanha presidencial, e só depois contaminou todo o resto.

O FIM DA ASSOMBRAÇÃO

Adeus, Lula.

Eu já me despedi dele no passado. Formalmente. Solenemente. Quando? Numa coluna de março de 2005. Prometi que nunca mais tocaria em seu nome, argumentando que dedicara mais tempo a ele do que a Flaubert. Lula me emburrecia. Lula me empobrecia. Lula fazia brotar perebas em minha pele. Eu tinha de purgá-lo.

Deu tudo errado. Dois meses depois de me despedir de Lula, *Veja* publicou a reportagem denunciando a propina nos Correios. Desde aquele dia, tenho falado sobre ele religiosamente todas as semanas. Foram dois anos de penitência, num estado de absoluta privação intelectual, isolado em meu rochedo ipanemense — o Diogo anacoreta —, assediado por Lula como Santo Antão pelo capeta. Numa semana, Lula aparecia diante de mim como a Rainha de Sabá. Em outra, ele assumia a forma de Amonaria. Em outra, de uma besta demoníaca, de uma cobra, de uma anta. Sim: estou fazendo um paralelo pernóstico com *As tentações de Santo Antão,* de Flaubert. Há uma anta em Flaubert? Talvez eu esteja enganado.

Como hagiógrafo de mim mesmo, eu, o santificado Diogo, noto que o assunto de minhas colunas nunca foi propriamente Lula, e sim os instintos malignos que ele era capaz de despertar em cada um de nós. O conformismo. O analfabetismo. O parasitismo. A venalidade. A poltronice. A desfaçatez. Lula sempre representou para mim algo bem maior do que o Lula real. Com suas tolices, com suas idéias feitas — de novo Flaubert, hoje é dia de Flaubert —, ele era o símbolo de nossas características mais regressivas, de nosso atraso.

Na última semana, o STF mandou alguns dos maiores aliados de Lula diretamente para o banco dos réus. Lula negou que isso possa ser interpretado como um juízo contra seu governo. Pode sim. Por mais popular que ele seja, por mais votos que ele tenha tido, Lula ficará marcado para sempre como o presidente dos mensaleiros. É um estigma do qual ele jamais conseguirá se libertar. Menos pelo que fez José Dirceu, e mais pelo comportamento despudorado do próprio Lula. A camarilha petista se formou inicialmente para saldar as despesas da campanha presidencial. O primeiro receptador do dinheiro sujo do valerioduto foi Duda Mendonça. Assim que assumiu o poder, Lula pagou-lhe com contas publicitárias do governo. Escandalosamente, continua a pagar-lhe até hoje, no segundo mandato, mesmo depois do julgamento no STF, em que ele foi denunciado por evasão de divisas e lavagem de dinheiro. Apesar de tudo o que aconteceu, Duda Mendonça ainda tem as contas de publicidade da Petrobras e do Ministério da Saúde, cujos contratos foram renovados repetidamente nestes quatro anos, sem licitação. Lula já repassou a Duda Mendonça cerca de 500 milhões de reais. Isso sem contar os 10,5 milhões de reais do valerioduto.

Um dia conheceremos toda a história de Lula. Mas o fato é que o espectro lulista, que assombrou o país por tanto tempo, finalmente desapareceu. O eremita Diogo pode descer do rochedo.